PQ 263
W9-BPS-643

LE CHARRETIER DE « LA PROVIDENCE »

OUVRAGES DE GEORGES SIMENON

AUX PRESSES DE LA CITÉ

COLLECTION MAIGRET

Mon ami Maigret
Maigret chez le coroner
Maigret et la vieille dame
L'amie de Mme Maigret
Maigret et les petits cochons sans queue
Un Noël de Maigret
Maigret au « Picratt's »
Maigret en meublé
Maigret, Lognon et les gangsters
Le revolver de Maigret
Maigret et l'homme du banc
Maigret a peur
Maigret se trompe
Maigret à l'école
Maigret et la jeune morte
Maigret chez le ministre
Maigret et le corps sans tête
Maigret tend un piège
Un échec de Maigret
Maigret s'amuse
Maigret à New York
La pipe de Maigret et Maigret se fâche
Maigret et l'inspecteur Malgracieux
Maigret et son mort
Les vacances de Maigret
Les Mémoires de Maigret
Maigret et la Grande Perche
La première enquête de Maigret
Maigret voyage
Les scrupules de Maigret
Maigret et les témoins récalcitrants
Maigret aux Assises
Une confidence de Maigret
Maigret et les vieillards
Maigret et le voleur paresseux
Maigret et les braves gens
Maigret et le client du samedi
Maigret et le clochard
La colère de Maigret
Maigret et le fantôme
Maigret se défend
La patience de Maigret
Maigret et l'affaire Nahour
Le voleur de Maigret
Maigret à Vichy
Maigret hésite
L'ami d'enfance de Maigret
Maigret et le tueur
Maigret et le marchand de vin
La folie de Maigret
Maigret et l'homme tout seul
Maigret l'indicateur
Maigret et Monsieur Charles
Les enquêtes du commissaire Maigret (2 volumes)

ROMANS

Je me souviens
Trois chambres à Manhattan
Au bout du rouleau
Lettre à mon juge
Pedigree
La neige était sale
Le fond de la bouteille
Le destin des Malou
Les fantômes du chapelier
La jument perdue
Les quatre jours du pauvre homme
Un nouveau dans la ville
L'enterrement de Monsieur Bouvet
Les volets verts
Tante Jeanne
Le temps d'Anaïs
Une vie comme neuve
Marie qui louche
La mort de Belle
La fenêtre des Rouet
Le petit homme d'Arkhangelsk
La fuite de Monsieur Monde
Le passager clandestin
Les frères Rio
Antoine et Julie
L'escalier de fer
Feux Rouges
Crime impuni
L'horloger d'Everton
Le grand Bob
Les témoins
La boule noire
Les complices
En cas de malheur
Le fils
Le nègre
Le président
Dimanche
La vieille
Le passage de la ligne
Le veuf
L'ours en peluche
Betty
Le train
La porte
Les autres
Les anneaux de Bicêtre
La rue aux trois poussins
La chambre bleue
L'homme au petit chien
Le petit saint
Le train de Venise
Le confessionnal
La mort d'Auguste
Le chat
Le déménagement
La main
La prison
Il y a encore des noisetiers
Novembre
Quand j'étais vieux
Le riche homme
La disparition d'Odile
La cage de verre
Les innocents

Lettre à ma mère
Un homme comme un autre
Des Traces de pas

GEORGES SIMENON

LE COMMISSAIRE MAIGRET

LE CHARRETIER DE « LA PROVIDENCE »

FAYARD

ISBN 2-266-00139-6

1

L'ÉCLUSE 14

DES faits le plus minutieusement reconstitués, il ne se dégageait rien, sinon que la découverte des deux charretiers de Dizy était pour ainsi dire impossible.

Le dimanche — c'était le 4 avril —, la pluie s'était mise à tomber à verse dès trois heures de l'après-midi.

A ce moment, il y avait dans le port, au-dessus de l'écluse 14, qui fait la jonction entre la Marne et le canal latéral, deux péniches à moteur avalantes, un bateau en déchargement et une vidange.

Un peu avant sept heures, alors que commençait le crépuscule, un bateau-citerne, *l'Eco III,* s'était annoncé et avait pénétré dans le sas.

L'éclusier avait manifesté de la mauvaise humeur, parce qu'il avait chez lui des parents en visite. Il avait adressé un signe négatif à un bateau-écurie qui arrivait l'instant d'après au pas lent de ses deux chevaux.

Rentré chez lui, il n'avait pas tardé à voir entrer le charretier, qu'il connaissait.

— Je peux passer? Le patron voudrait coucher demain à Juvigny...

— Passe si tu veux. Mais tu tourneras les portes toi-même...

La pluie tombait de plus en plus dru. De sa fenêtre, l'éclusier vit la silhouette trapue du charretier qui allait lourdement d'une porte à l'autre, faisait avancer ses bêtes, accrochait les amarres aux bittes.

La péniche s'éleva peu à peu au-dessus des murs. Ce n'était pas le patron qui tenait la barre, mais sa femme, une grosse Bruxelloise aux cheveux d'un blond criard, à la voix aiguë.

A sept heures vingt, *la Providence* était arrêtée en face du *Café de la Marine,* derrière *l'Eco III.* Les chevaux rentrèrent à bord. Le charretier et le patron se dirigèrent vers le café, où se trouvaient d'autres mariniers et deux pilotes de Dizy.

A huit heures, alors que la nuit était tout à fait tombée, un remorqueur amena en dessous des portes les quatre bateaux qu'il traînait.

Cela augmenta le contingent du *Café de la Marine.* Il y eut six tables occupées. On s'interpellait de l'une à l'autre. Ceux qui entraient laissaient derrière eux des rigoles d'eau, secouaient leurs bottes gluantes.

Dans la pièce voisine, éclairée par une lampe à pétrole, les femmes venaient aux provisions.

L'air était lourd. On discuta d'un accident qui s'était produit à l'écluse 8 et du retard que pourraient subir les bateaux montants.

A neuf heures, la marinière de *la Providence* vint chercher son mari et le charretier, qui s'en allèrent après un salut à la ronde.

A dix heures, les lampes étaient éteintes à bord de la plupart des bateaux. L'éclusier accompagna ses parents jusqu'à la grand-route d'Épernay, qui franchit le canal à deux kilomètres de l'écluse.

Il ne vit rien d'anormal. En passant, au retour, devant *la Marine*, il y jeta un coup d'œil, fut hélé par un pilote.

— Viens boire la goutte! T'es tout mouillé...

Il prit un rhum, debout. Deux charretiers se levaient, lourds de vin rouge, les yeux luisants, se dirigeant vers l'écurie attenante au café où ils couchaient sur la paille, près de leurs chevaux.

Ils n'étaient pas tout à fait ivres. Mais ils avaient assez bu pour dormir d'un sommeil pesant.

Il y avait cinq chevaux à l'écurie, qui n'était éclairée que par une lanterne-tempête mise en veilleuse.

A quatre heures, un des charretiers réveilla son compagnon et tous deux commencèrent à soigner leurs bêtes. Ils entendirent les chevaux de *la Providence* qu'on sortait de la péniche et qu'on attelait.

A la même heure, le patron du café se levait et allumait la lampe dans sa chambre, au premier étage. Il entendit, lui aussi, *la Providence* qui se mettait en marche.

A quatre heures et demie, le moteur diesel du bateau-citerne se mettait à tousser, mais il ne partit qu'un quart d'heure plus tard, après que le patron eut avalé un grog au café dont on ouvrait les portes.

Il était à peine sorti et son bateau n'était pas encore au pont que les deux charretiers faisaient leur découverte.

L'un des deux tirait ses chevaux vers le chemin de halage. L'autre fouillait la paille pour y retrouver son fouet quand sa main rencontra un corps froid.

Impressionné d'avoir cru reconnaître un visage humain, il se munit de sa lanterne, éclaira le cadavre qui allait bouleverser Dizy et troubler la vie du canal.

***

Le commissaire Maigret, de la Première Brigade Mobile, était en train de récapituler ces faits en les plaçant dans leur cadre.

C'était le lundi soir. Le matin même, le Parquet d'Épernay avait fait, sur les lieux, la descente légale et, après la visite de l'Identité Judiciaire et des médecins légistes, le corps avait été transporté à la morgue.

Il pleuvait toujours : une pluie fine, serrée et froide qui n'avait pas cessé de tomber de la nuit et de toute la journée.

Des silhouettes allaient et venaient sur les portes de l'écluse où un bateau s'élevait insensiblement.

Depuis une heure qu'il était là, le commissaire n'avait songé qu'à se familiariser avec un monde qu'il découvrait soudain et sur lequel il n'avait en arrivant que des notions fausses ou confuses.

L'éclusier lui avait dit :

— Il n'y avait presque rien dans le bief : deux moteurs avalants, un moteur montant, qui a éclusé l'après-midi, une vidange et deux Panama. Puis le chaudron est arrivé avec ses quatre bateaux...

Et Maigret apprenait qu'un chaudron est un remorqueur, qu'un Panama est un bateau qui n'a ni moteur ni chevaux à bord et qui loue un charretier avec ses bêtes pour un parcours déterminé, ce qui constitue de la navigation au long jour.

En arrivant à Dizy, il n'avait vu qu'un canal étroit, à trois kilomètres d'Épernay, et un village peu important près d'un pont de pierre.

Il lui avait fallu patauger dans la boue, le long du chemin de halage, jusqu'à l'écluse, qui était elle-même distante de deux kilomètres de Dizy.

Et là il avait trouvé la maison de l'éclusier, en pierres grises, avec son écriteau : *Bureau de Déclaration.*

Et il avait pénétré au *Café de la Marine,* qui était la seule autre construction de l'endroit.

A gauche, une salle de café pauvre, avec de la toile cirée brune sur les tables, des murs peints moitié en brun, moitié en jaune sale.

Mais il y régnait une odeur caractéristique qui suffisait à marquer la différence avec un café de campagne. Cela sentait l'écurie, le harnais, le goudron et l'épicerie, le pétrole et le gasoil.

La porte de droite était munie d'une petite sonnette et des réclames transparentes étaient collées aux vitres.

Là, c'était bourré de marchandises : des cirés, des sabots, des vêtements de toile, des sacs de pommes de terre, des barils d'huile alimentaire et des caisses de sucre, de pois, de haricots, pêle-mêle avec des légumes et de la faïence.

On ne voyait pas un client. A l'écurie, il n'y avait plus que le cheval que le propriétaire attelait pour aller au marché, une grande bête grise aussi familière qu'un chien, qui n'était pas attachée et qui se promenait de temps en temps dans la cour, parmi les poules.

Tout ruisselait de l'eau du ciel. C'était la note dominante. Et les gens qui passaient étaient noirs et luisants, penchés en avant.

A cent mètres, un petit train Decauville allait et venait dans un chantier, et son conducteur, à l'arrière de la locomotive en miniature, avait fixé un parapluie sous lequel il se tenait, frileux, les épaules rentrées.

Une péniche se détachait du bord, s'en allait à la gaffe jusqu'à l'écluse d'où une autre sortait.

Comment la femme était-elle venue là? Pourquoi? C'était la question que la police d'Épernay, le Parquet, les médecins, les techniciens de l'Identité Judiciaire s'étaient posée avec ahurissement et que Maigret tournait et retournait dans sa lourde tête.

Elle avait été étranglée, c'était une première certitude. La mort remontait au dimanche soir, vraisemblablement vers dix heures et demie.

Et le cadavre avait été découvert, dans l'écurie, un peu après quatre heures du matin.

Aucune route ne passe près de l'écluse. Rien n'y peut attirer quelqu'un qui ne s'occupe pas de navigation. Le chemin de halage est trop étroit pour permettre le passage à une auto. Et, cette nuit-là, il eût fallu patauger jusqu'à mi-jambe dans les flaques d'eau et dans la boue.

Or, la femme appartenait de toute évidence à un monde qui se déplace plus souvent en voiture de luxe et en *sleeping* qu'à pied.

Elle ne portait qu'une robe de soie crème et des chaussures en daim blanc qui étaient plutôt des chaussures de plage que des souliers de ville.

La robe était fripée, mais on n'y relevait pas une tache de boue. Seul le bout du soulier gauche était encore mouillé au moment de la découverte.

— Trente-huit à quarante ans! avait dit le médecin après l'avoir examinée.

Ses boucles d'oreilles étaient deux perles véritables, valant environ quinze mille francs. Son bracelet, en or et platine, travaillé dans le goût ultra-moderne, était plus esthétique que coûteux, mais portait la signature d'un joaillier de la place Vendôme.

Les cheveux étaient bruns, ondulés, coupés très court sur la nuque et aux tempes.

Quant au visage, défiguré par la strangulation, il avait dû être d'une joliesse assez remarquable.

Une femme, sans doute, du genre pétillant.

Ses ongles, manucurés, vernis, étaient sales.

On n'avait pas retrouvé le sac à main près d'elle. Les polices d'Épernay, de Reims et de Paris, munies d'une photographie du cadavre, essayaient en vain, depuis le matin, d'établir son identité.

Et la pluie tombait sans trêve sur un vilain paysage. A gauche et à droite, l'horizon était borné par des collines crayeuses, aux traînées blanches et noires, où les vignes, à cette saison, n'apparaissaient que comme des croix de bois dans un cimetière du front.

L'éclusier, qu'une casquette galonnée d'argent permettait seule de reconnaître, tournait d'un air accablé autour de son bassin où l'eau se mettait à bouillonner chaque fois qu'il ouvrait les vannes.

Et à chaque marinier, tandis qu'un bateau s'élevait ou descendait, il racontait l'histoire.

Parfois les deux hommes, les feuilles réglementaires une fois signées, gagnaient à grands pas le *Café de la Marine,* vidaient des verres de rhum ou une chopine de vin blanc.

Régulièrement l'éclusier montrait du menton Maigret qui, rôdant sans but précis, devait donner une impression de désarroi.

C'était un fait. L'affaire se présentait d'une façon tout à fait anormale. Il n'y avait même pas un témoin à questionner.

Car le Parquet, après avoir interrogé l'éclusier, puis s'être entendu avec l'ingénieur des Ponts et Chaussées, avait décidé de laisser tous les bateaux poursuivre leur route.

Les deux charretiers étaient partis les derniers vers midi, convoyant chacun un « Panama ».

Comme il y a une écluse tous les trois ou quatre kilomètres et que ces écluses sont reliées téléphoniquement entre elles, on pouvait savoir, à n'importe quel moment, l'endroit où n'importe quel bateau se trouvait et lui barrer la route.

Au surplus, un commissaire de police d'Épernay avait questionné tout le monde et Maigret avait à sa disposition le procès-verbal de ces interrogatoires d'où rien ne ressortait, sinon que la réalité était invraisemblable.

Tous ceux qui se trouvaient la veille au *Café de la Marine* étaient connus, soit du patron, soit de l'éclusier, le plus souvent des deux.

Les charretiers couchaient au moins une fois par semaine dans la même écurie, et toujours dans le même état assez proche de l'ivresse.

— Vous comprenez ! A chaque écluse, on boit le coup... Presque tous les éclusiers vendent à boire...

Le bateau-citerne arrivé le dimanche après-midi et reparti le lundi matin transportait de l'essence et appartenait à une grosse compagnie du Havre.

Quant à *la Providence,* dont le patron était propriétaire, elle passait vingt fois par an, avec ses deux chevaux et son vieux charretier. Et il en était de même des autres !

Maigret était maussade. Cent fois il entra dans l'écurie, puis dans le café ou dans la boutique.

On le vit marcher jusqu'au pont de pierre avec l'air de compter ses pas ou de chercher quelque chose dans la boue. Il assista, renfrogné, dégouttant d'eau, à dix éclusées.

On se demandait quelle était son idée et en réalité il n'en avait pas. Il n'essayait même pas de découvrir un indice à proprement parler, mais plutôt de s'imprégner de l'ambiance, de saisir cette vie de canal si différente de ce qu'il connaissait.

Il s'était assuré qu'on pourrait lui prêter une bicyclette s'il désirait rejoindre l'un ou l'autre des bateaux.

L'éclusier lui avait remis le *Guide officiel de la Navigation intérieure* où des localités inconnues, comme Dizy, prennent, pour des raisons topographiques, ou à cause d'une jonction, d'un croisement, de la présence d'un port, d'une grue, voire d'un bureau de déclaration, une importance insoupçonnée.

Il essayait de suivre, en esprit, péniches et charretiers :

« *Ay — Port — Écluse n° 13.*

« *Mareuil-sur-Ay — chantier de construction de bateaux — Port — Bassin de virement — Écluse n° 12 — Côte 74,36...* »

Puis *Bisseuil, Tours-sur-Marne, Condé, Aigny...*

Tout à l'autre bout du canal, par-delà le plateau de Langres, que les bateaux escaladaient écluse par écluse et qu'ils redescendaient sur l'autre versant, la Saône, Chalon, Mâcon, Lyon...

— Qu'est-ce que cette femme est venue faire ici?

Dans une écurie, avec ses perles aux oreilles,

son bracelet de style, ses souliers de daim blanc!

Elle avait dû arriver vivante, puisque le crime s'était commis après dix heures du soir.

Mais comment? Mais pourquoi? Et personne n'avait rien entendu! Elle n'avait pas crié! Les deux charretiers ne s'étaient pas réveillés!

Sans le fouet perdu, on n'aurait sans doute découvert le cadavre que quinze jours ou un mois plus tard, par hasard, en remuant la paille!

Et d'autres charretiers seraient venus ronfler à côté de ce corps de femme!

Malgré la pluie froide, il y avait toujours dans l'atmosphère quelque chose de pesant, d'implacable. Et le rythme de vie était lent.

Des pieds chaussés de bottes ou de sabots se traînaient sur les murs de l'écluse ou le long du chemin de halage. Des chevaux tout mouillés attendaient la fin de la bassinée pour repartir en s'étirant dans un effort progressif, arc-boutés sur leurs pattes de derrière.

Et le soir allait tomber, comme la veille. Déjà les péniches montantes ne poursuivaient plus leur route, mais s'amarraient pour la nuit, tandis que les mariniers engourdis s'avançaient par groupes vers le café.

Maigret alla jeter un coup d'œil à la chambre qu'on venait de lui préparer, à côté de celle du patron. Il y resta une dizaine de minutes, changea de chaussures et nettoya sa pipe.

Au moment où il redescendait, un yacht que

conduisait un matelot en ciré longeait la rive au ralenti, battait en arrière et s'arrêtait sans heurt entre deux bittes.

Le matelot effectua seul toutes ces manœuvres. Deux hommes sortirent un peu plus tard de la cabine, regardèrent autour d'eux avec ennui et finirent par se diriger vers le *Café de la Marine*.

Ils avaient endossé des cirés, eux aussi. Mais, quand ils les retirèrent, ils se trouvèrent en chemise de flanelle ouverte sur la poitrine et en pantalon blanc.

Les mariniers les regardaient sans que les nouveaux venus manifestassent la moindre gêne. Au contraire! Ce genre de décor semblait leur être familier.

L'un d'eux était grand, gros, grisonnant, avec un teint brique et des yeux saillants, au regard glauque qui glissait sur les gens et les choses comme sans les voir.

Il se renversa sur sa chaise de paille, attira une seconde chaise sous ses pieds, fit claquer ses doigts pour appeler le patron.

Son compagnon, qui devait avoir vingt-cinq ans, lui parlait anglais avec une nonchalance qui sentait le snobisme.

Ce fut lui qui demanda sans accent :

— Vous avez du champagne naturel?... Non mousseux?...

— J'en ai...

— Apportez-en une bouteille...

Ils fumaient des cigarettes à bout de carton importées de Turquie.

La conversation des mariniers, un instant suspendue, reprenait progressivement.

Un peu après que le patron eut servi le vin, le matelot entra, en pantalon blanc, lui aussi, et en jersey de marin à rayures bleues.

— Ici, Vladimir...

Le plus gros bâillait, exprimait un ennui compact. Il vida son verre avec une moue qui n'était qu'à demi satisfaite.

— Une bouteille! souffla-t-il à l'adresse du plus jeune.

Et celui-ci répéta plus haut, comme s'il eût été habitué à transmettre ainsi les ordres :

— Une bouteille!... Du même!...

Maigret sortit de son coin, où il était attablé devant une canette de bière.

— Pardon, messieurs... Puis-je me permettre de vous poser une question?...

L'aîné désigna son compagnon d'un geste qui signifiait :

— Adressez-vous à lui!

Il ne montrait ni surprise ni intérêt. Le matelot se versait à boire, coupait le bout d'un cigare.

— Vous arrivez par la Marne?

— Par la Marne, bien entendu...

— Vous étiez amarré loin d'ici la nuit dernière?

Le plus gros tourna la tête, dit en anglais :

— Réponds-lui que ça ne le regarde pas!

Maigret feignit de n'avoir pas compris et, sans rien ajouter, tira de son portefeuille la photographie du cadavre, la posa sur la toile cirée brune de la table.

Les mariniers, assis ou debout devant le comptoir, suivaient la scène des yeux.

Le yachtman bougea à peine la tête pour regarder le portrait. Puis il examina Maigret, soupira :

— Police?

Il avait un fort accent anglais, une voix fatiguée.

— Police Judiciaire! Un crime a été commis ici la nuit dernière. La victime n'a pas encore pu être identifiée.

— Où elle est? questionna l'autre en se levant et en désignant le portrait.

— A la morgue d'Épernay. Vous la connaissez?

La face de l'Anglais était impénétrable. Maigret remarqua pourtant que son cou énorme, apoplectique, était devenu violacé.

Il prit sa casquette blanche qu'il posa sur son crâne dégarni, grommela d'abord en anglais en se tournant vers son compagnon :

— Encore des complications!

Puis enfin, indifférent à l'attention des mariniers, il déclara en tirant une bouffée de sa cigarette :

— C'est mon femme!

On entendit plus nettement le crépitement de la pluie sur les vitres et même le grincement des manivelles de l'écluse. Le silence dura quelques secondes, absolu, comme si toute vie eût été suspendue.

— Vous payerez, Willy...

L'Anglais jeta son ciré sur ses épaules, sans passer les manches, grogna à l'adresse de Maigret :

— Venez dans le bateau...

Le matelot qu'il avait appelé Vladimir acheva d'abord la bouteille de champagne, puis s'en fut comme il était venu, en compagnie de Willy.

La première chose que vit le commissaire en arrivant à bord fut une femme en peignoir, pieds nus, cheveux défaits, qui sommeillait sur une couchette de velours grenat.

L'Anglais lui toucha l'épaule et, avec le même flegme que précédemment, sur un ton exempt de galanterie, commanda :

— Va dehors...

Puis il attendit, le regard errant sur la table pliante où il y avait un flacon de whisky et une demi-douzaine de verres sales, ainsi qu'un cendrier débordant de bouts de cigarette.

Il finit, machinalement, par se verser à boire,

poussa la bouteille vers Maigret d'un geste qui signifiait :

— Si vous en voulez...

Une péniche passait à ras des hublots et le charretier, à cinquante mètres de là, arrêtait ses chevaux dont on entendait tinter les grelots.

2

LES HOTES DU « SOUTHERN CROSS »

MAIGRET était à peu près aussi haut et large que l'Anglais. Au quai des Orfèvres, sa placidité était légendaire. Pourtant, cette fois, il était impatienté par le calme de son interlocuteur.

Et ce calme semblait être le mot d'ordre à bord. Depuis le matelot Vladimir jusqu'à la femme qu'on venait d'arracher à son sommeil, chacun avait le même air indifférent ou abruti. On eût dit des gens qu'on tirait du lit au lendemain d'une terrible ivresse.

Un détail, entre cent. Tout en se levant et en cherchant une boîte de cigarettes, la femme aperçut la photographie que l'Anglais avait posée sur la table et qui, dans le court trajet du *Café de la Marine* au yacht, s'était mouillée.

— Mary?... questionna-t-elle avec, à peine, un tressaillement.

— Mary, *yes!*

Et ce fut tout! Elle sortit par une porte qui

s'ouvrait vers l'avant et qui devait conduire au cabinet de toilette.

Willy arrivait sur le pont, se penchait devant l'écoutille. Le salon était exigu. Les cloisons d'acajou verni étaient minces et, de l'avant, on devait tout entendre, car le propriétaire regarda d'abord de ce côté, les sourcils froncés, puis du côté du jeune homme à qui il dit avec quelque impatience :

— Allons!... Entrez!...

Et à Maigret, brusquement :

— Sir Walter Lampson, colonel en retraite de l'Armée des Indes!

Il accompagna sa propre présentation d'un petit salut sec et d'un geste qui désignait la banquette.

— Monsieur?... questionna le commissaire tourné vers Willy.

— Un ami... Willy Marco...

— Espagnol?

Le colonel haussa les épaules. Maigret scrutait du regard le visage manifestement israélite du jeune homme.

— Grec par mon père... Hongrois par ma mère...

— Je me vois obligé de vous poser un certain nombre de questions, sir Lampson...

Willy s'était assis avec désinvolture sur le dossier d'une chaise et se balançait tout en fumant une cigarette.

— J'écoute!

Mais, au moment où Maigret allait parler, le yachtman prononça :

— Qui est-ce qui a fait? On sait?

Il parlait de l'auteur du crime.

— On n'a rien découvert jusqu'à présent. C'est pourquoi vous serez très utile à l'enquête en me renseignant sur certains points...

— Avec corde? fit-il encore en portant la main à son cou.

— Non! L'assassin ne s'est servi que de ses mains. Quand avez-vous vu Mrs Lampson pour la dernière fois?

— Willy...

Willy était décidément l'homme à tout faire, à commander les boissons et à répondre aux questions posées au colonel.

— A Meaux, jeudi soir... dit-il.

— Et vous n'avez pas signalé sa disparition à la police?

Sir Lampson se servait un nouveau whisky.

— Pourquoi? Elle faisait ce qu'elle voulait, n'est-ce pas?

— Elle s'éclipsait souvent de la sorte?

— Quelquefois...

L'eau crépitait sur le pont, au-dessus des têtes. Le crépuscule faisait place à la nuit et Willy Marco tourna le commutateur électrique.

— Les accus sont chargés? lui demanda le

colonel en anglais. Ce ne sera pas comme l'autre jour?

Maigret faisait un effort pour donner un sens précis à son interrogatoire. Mais il était sollicité sans cesse par des impressions nouvelles.

Malgré lui, il regardait tout, pensait à tout à la fois, si bien qu'il avait la tête pleine d'un bouillonnement d'idées informes.

Il n'était pas tant indigné que gêné devant cet homme qui, au *Café de la Marine*, avait jeté un coup d'œil au portrait et avait déclaré sans un tressaillement :

— C'est mon femme...

Il revoyait l'inconnue en peignoir questionnant :

— Mary?...

Et maintenant Willy Marco se balançait sans arrêt, la cigarette aux lèvres, tandis que le colonel s'inquiétait des accumulateurs!

Dans l'atmosphère neutre de son bureau, le commissaire eût sans doute mené à bien un interrogatoire ordonné. Ici, il commença par retirer son manteau sans y être invité, reprit le portrait qui était sinistre, comme toutes les photographies de cadavres.

— Vous habitez la France?

— La France, l'Angleterre... Quelquefois l'Italie... Toujours avec mon bateau, le *Southern Cross*...

— Vous venez de...?

— Paris! répliqua Willy à qui le colonel avait fait signe de parler. Nous y sommes restés une quinzaine de jours, après avoir passé un mois à Londres...

— Vous viviez à bord?

— Non! Le bateau était à Auteuil. Nous sommes descendus à l'*Hôtel Raspail,* à Montparnasse...

— Le colonel, sa femme, la personne que j'ai vue tout à l'heure et vous?

— Oui! Cette dame est la veuve d'un député chilien, Mme Negretti.

Sir Lampson poussa un soupir d'impatience, employa à nouveau l'anglais :

— Expliquez vite, sinon il est encore ici demain matin...

Maigret ne sourcilla pas. Seulement, dès lors, il posa ses questions avec un rien de brutalité.

— Mme Negretti n'est pas votre parente? demanda-t-il à Willy.

— Pas du tout...

— Elle vous est donc tout à fait étrangère, à vous et au colonel... Voulez-vous me dire comment sont aménagées les cabines?

Sir Lampson avala une gorgée de whisky, toussa, alluma une cigarette.

— A l'avant, il y a le poste d'équipage, où couche Vladimir. C'est un ancien aspirant de la marine russe... Il a fait partie de la flotte Wrangel...

— Il n'y a pas d'autre matelot? Pas de domestique?

— Vladimir s'occupe de tout...

— Ensuite?

— Entre le poste d'équipage et ce salon se trouvent, à droite la cuisine, à gauche le cabinet de toilette...

— Et à l'arrière?

— Le moteur...

— Vous étiez donc quatre dans cette cabine?

— Il y a quatre couchettes... Les deux banquettes que vous voyez, d'abord, qui se transforment en divans... Ensuite...

Willy se dirigea vers une cloison, ouvrit une sorte de long tiroir et découvrit un lit complet.

— Il y en a un de chaque côté... Vous voyez...

Maigret, en effet, commençait à y voir un peu plus clair, comprenait qu'il ne tarderait pas à être au courant des secrets de cette cohabitation singulière.

Les yeux du colonel étaient glauques et humides comme des yeux d'ivrogne. Il semblait se désintéresser de la conversation.

— Que s'est-il passé à Meaux? Et, avant tout, quand y êtes-vous arrivés?

— Mercredi soir... Meaux est à une étape de Paris... Nous avions emmené deux amies de Montparnasse...

— Continuez...

— Le temps était très beau... Nous avons fait

du phonographe et dansé sur le pont... Vers quatre heures du matin, j'ai conduit nos amies à l'hôtel et elles ont dû reprendre le train le lendemain...

— Où était amarré le *Southern Cross?*

— Près de l'écluse...

— Aucun événement ne s'est produit le jeudi?

— Nous nous sommes levés très tard, après avoir été souvent réveillés par une grue qui chargeait des pierres dans une péniche tout près de nous... Le colonel et moi, nous avons pris l'apéritif en ville... L'après-midi... attendez... Le colonel a dormi... J'ai joué aux échecs avec Gloria... Gloria, c'est Mme Negretti...

— Sur le pont?

— Oui... Je crois bien que Mary se promenait.

— Elle n'est plus revenue?

— Pardon! Elle a dîné à bord... Le colonel a proposé de passer la soirée au dancing et Mary a refusé de nous accompagner... Quand nous sommes rentrés, vers trois heures du matin, elle n'était plus là...

— Vous n'avez effectué aucune recherche?

Sir Lampson tambourinait du bout des doigts sur la table vernie.

— Le colonel vous a dit que sa femme était libre d'aller et venir à sa guise... Nous l'avons attendue jusqu'à samedi et nous sommes repartis... Elle connaissait l'itinéraire et elle savait où elle pouvait nous rejoindre...

— Vous allez en Méditerranée?

— A l'île de Porquerolles, en face d'Hyères, où l'on passe la plus grande partie de l'année... Le colonel a acheté là-bas un ancien fort, *le Petit Langoustier*...

— Pendant la journée de vendredi, tout le monde est resté à bord?

Willy eut une hésitation, répondit avec une certaine vivacité :

— Je suis allé à Paris...

— Pour quoi faire?

Il rit, d'un rire déplaisant, qui imprimait à sa bouche une torsion anormale.

— Je vous ai parlé de nos deux amies... J'avais envie de les revoir... Une d'elles, tout au moins...

— Vous voulez me donner leur nom?

— Leur prénom... Suzy et Lia... Elles sont chaque soir à *la Coupole*... Elles habitent l'hôtel qui fait le coin de la rue de la Grande-Chaumière...

— Des professionnelles de la galanterie?

— De braves petites femmes...

La porte s'ouvrit. Mme Negretti, qui avait passé une robe de soie verte, se montra.

— Je peux venir?

Et le colonel répondit par un haussement

d'épaules. Il devait en être à son troisième whisky et il les prenait avec très peu d'eau.

— Willy... Demandez... pour les formalités...

Maigret n'avait pas besoin d'intermédiaire pour comprendre. Cette façon saugrenue et nonchalante de lui poser des questions commençait à l'agacer.

— Il est bien entendu que vous devez avant tout reconnaître le corps... Après l'autopsie, vous obtiendrez sans doute le permis d'inhumer... Vous désignerez le cimetière et...

— On peut aller tout de suite? Il y a un garage, pour louer une auto?

— A Épernay...

— Willy... Téléphonez pour une voiture... Tout de suite, n'est-ce pas?...

— Il y a le téléphone au *Café de la Marine!* fit Maigret tandis que le jeune homme, avec mauvaise humeur, endossait son ciré.

— Où est Vladimir?

— Je l'ai entendu rentrer tout à l'heure...

Dites que nous dînerons à Épernay...

Mme Negretti, qui était grasse, avec des cheveux d'un noir luisant, une chair très claire, s'était assise dans un coin, sous le baromètre, et assistait à cette scène, le menton dans la main, l'air absent ou profondément réfléchi.

Vous viendrez avec nous? lui demanda sir Lampson.

Je ne sais pas Il pleut encore?...

Maigret était hérissé et la dernière question du colonel ne fut pas pour le calmer.

— Combien de jours vous croyez avoir besoin, pour tout?

Alors férocement :

— Y compris l'enterrement, je suppose?

— Yes... Trois jours?...

— Si les médecins légistes délivrent le permis d'inhumer et si le juge d'instruction ne s'y oppose pas, vous pourriez matériellement en finir en vingt-quatre heures...

L'autre sentit-il l'amère ironie de ces paroles?

Maigret, lui, eut besoin de regarder le portrait : un corps cassé, sali, froissé, un visage qui avait été bien joli, bien poudré, avec du rouge parfumé sur les lèvres et sur les joues et dont on ne pouvait plus contempler la grimace sans avoir froid dans le dos.

— Vous buvez?...

— Merci...

— Alors...

Sir Walter Lampson se leva pour signifier qu'il considérait l'entretien comme terminé, appela :

— Vladimir!... Un costume!...

— J'aurai sans doute d'autres questions à vous poser, dit le commissaire. Peut-être me verrai-je forcé de visiter le yacht à fond...

— Demain... D'abord Épernay, n'est-ce pas?... Combien de temps pour la voiture?...

— Je vais rester toute seule? s'effraya Mme Negretti.

— Avec Vladimir... Vous pouvez venir...

— Je ne suis pas habillée...

Willy rentrait en coup de vent, enlevait son ciré ruisselant.

— L'auto sera ici dans dix minutes...

— Alors, commissaire, si vous voulez...

Le colonel montrait la porte.

— Nous devons nous habiller...

En sortant, Maigret aurait volontiers cassé la figure à quelqu'un, tant il était énervé. Il entendit l'écoutille se refermer derrière lui.

Du dehors, on ne voyait que la lumière de huit hublots ainsi que le fanal blanc accroché au mât. A moins de dix mètres se profilait l'arrière trapu d'une péniche et à gauche, sur la rive, un gros tas de charbon.

C'était peut-être une illusion. Mais Maigret avait l'impression que la pluie redoublait, que le ciel était plus noir et plus bas qu'il l'avait jamais vu.

Il marcha vers le *Café de la Marine* où les voix se turent tout d'un coup à son arrivée. Tous les mariniers étaient là, en cercle autour du poêle de fonte. L'éclusier était accoudé au comptoir, près de la fille de la maison, une grande fille rousse en sabots.

Sur la toile cirée des tables traînaient des litres de vin, des verres sans pied, des flaques.

— Alors, c'est bien sa dame? finit par questionner le patron en prenant son courage à deux mains.

— Oui! Donnez-moi de la bière! Ou plutôt non! Quelque chose de chaud... Un grog...

Les mariniers se remettaient à parler, petit à petit. La fille apporta le verre brûlant en frôlant l'épaule de Maigret de son tablier.

Et le commissaire imaginait les trois personnages en train de s'habiller dans la cabine étroite, avec Vladimir par surcroît.

Il imaginait bien d'autres choses, mais mollement et non sans répugnance.

Il connaissait l'écluse de Meaux, qui est d'autant plus importante que, comme celle de Dizy, elle fait la jonction entre la Marne et le canal où se trouve un port en demi-lune, toujours encombré de péniches pressées bord à bord.

Là-dedans, au milieu des mariniers, le *Southern Cross,* illuminé, avec les deux femmes de Montparnasse, la grasse Gloria Negretti, Mme Lampson, Willy et le colonel dansant sur le pont au son du phonographe, buvant...

Dans un coin du *Café de la Marine,* deux hommes en blouse bleue mangeaient du saucisson qu'ils coupaient au fur et à mesure avec leur couteau de poche, en même temps que leur pain, en buvant du vin rouge.

Et quelqu'un racontait un accident qui était

arrivé le matin à la « voûte », c'est-à-dire à l'endroit où le canal, pour franchir la partie la plus haute du plateau de Langres, devient souterrain sur une longueur de huit kilomètres.

Un marinier avait eu le pied pris dans la corde des chevaux. Il avait crié sans pouvoir se faire entendre du charretier et, au moment où les bêtes se remettaient en marche après un temps d'arrêt, il avait été projeté dans l'eau.

Le tunnel n'était pas éclairé. Le bateau ne portait qu'un fanal qui jetait à peine quelques reflets sur l'eau. Le frère du marinier — la péniche s'appelait *les Deux Frères* — avait sauté dans le canal.

On n'en avait repêché qu'un, quand il était déjà mort. On cherchait l'autre...

— Ils n'avaient plus que deux annuités à payer sur leur bateau. Mais il paraît que, d'après le contrat, les femmes n'auront pas à les verser...

Un chauffeur en casquette de cuir entra, chercha quelqu'un des yeux.

— Qui est-ce qui a commandé une auto?

— Moi! dit Maigret.

— J'ai été obligé de la laisser au pont... Je ne tiens pas à verser dans le canal...

— Vous mangez ici? vint demander le patron au commissaire.

— Je ne sais pas encore...

Il sortit avec le chauffeur. Le *Southern Cross,* peint en blanc, faisait une tache laiteuse dans la pluie et deux gosses d'une péniche voisine, dehors malgré l'averse, le regardaient avec admiration.

— Joseph!... criait une voix de femme. Ramène ton frère!... Tu vas être rossé!...

— *Southern Cross*... lut le chauffeur sur la proue. C'est des Anglais?...

Maigret traversa la passerelle, frappa. Willy qui était prêt, élégant dans un complet sombre, ouvrit la porte et l'on aperçut le colonel congestionné, sans veston, à qui Gloria Negretti faisait la cravate.

La cabine sentait l'eau de Cologne et la brillantine.

— L'auto est arrivée? questionna Willy. Elle est ici?

— Au pont, à deux kilomètres...

Maigret resta dehors. Il entendit vaguement le colonel et le jeune homme qui discutaient en anglais. Enfin Willy vint dire :

— Il ne veut pas patauger dans la boue... Vladimir va mettre le youyou à l'eau... Nous vous rejoindrons là-bas...

— Hum!... Hum!... grogna le chauffeur qui avait entendu.

Dix minutes plus tard, Maigret et lui faisaient les cent pas sur le pont de pierre, près de la voiture dont les phares étaient en veilleuse. Il s'écoula près d'une demi-heure avant qu'on entendît le bourdonnement d'un petit moteur à deux temps.

Enfin la voix de Willy cria :

— C'est ici?... Commissaire!...

— Ici, oui!

Le canot à moteur amovible décrivit un cercle, aborda. Vladimir aida la colonel à mettre pied à terre, prit rendez-vous pour le retour.

Dans la voiture, sir Lampson ne prononça pas un mot. Malgré sa corpulence, il était d'une élégance remarquable. Haut en couleur, très soigné, flegmatique, c'était bien le gentleman anglais tel que le représentent les gravures du siècle dernier.

Willy Marco fumait cigarette sur cigarette.

— Quelle bagnole! soupira-t-il comme on sursautait à un caniveau.

Maigret remarqua qu'il avait au doigt une chevalière en platine ornée d'un gros diamant jaune.

Lorsqu'on pénétra dans la ville aux pavés luisants de pluie, le chauffeur souleva la glace, questionna :

— A quelle adresse dois-je...?

— A la morgue! répliqua le commissaire.

***

Ce fut bref. Le colonel desserra à peine les dents. Il n'y avait qu'un gardien dans le local où trois corps étaient étendus sur les dalles.

Toutes les portes étaient déjà fermées à clef. On entendit les serrures qui grinçaient. Il fallut faire de la lumière.

Ce fut Maigret qui souleva le drap.

— Yes!

Willy était plus ému, plus impatient d'échapper au spectacle.

— Vous la reconnaissez aussi?

— C'est bien elle... Comme elle est...

Il n'acheva pas. Il pâlissait à vue d'œil. Ses lèvres devenaient sèches. Sans doute, si le commissaire ne l'eût entraîné dehors, se fût-il trouvé mal.

— Vous ne savez pas qui a fait?... articula le colonel.

Peut-être aurait-on pu relever dans le son de sa voix un trouble à peine perceptible. Mais n'était-ce pas l'effet des nombreux verres de whisky?

Maigret, quand même, nota ce petit décalage.

Ils se retrouvaient sur un trottoir mal éclairé par un réverbère, en face de l'auto dont le chauffeur n'avait pas quitté le siège.

— Vous dînez, n'est-ce pas? fit encore sir Lampson sans même se tourner vers Maigret.

— Merci... Je vais profiter de ce que je suis ici pour effectuer quelques démarches...

Le colonel s'inclina sans insister.

— Venez, Willy...

Maigret resta un moment sur le seuil de la

morgue, tandis que le jeune homme, après avoir conféré avec l'Anglais, se penchait vers le chauffeur.

Il était question de savoir quel était le meilleur restaurant de la ville. Des gens passaient, ainsi que des tramways éclairés et sonnaillants.

A quelques kilomètres s'étirait le canal et tout le long, près des écluses, des péniches qui dormaient s'en iraient à quatre heures du matin, dans une odeur de café chaud et d'écurie.

3

LE COLLIER DE MARY

QUAND Maigret se coucha, dans la chambre dont l'odeur caractéristique ne fut pas sans l'incommoder, il se complut longtemps à rapprocher deux images.

A Épernay, d'abord, à travers les baies illuminées de *la Bécasse,* le meilleur restaurant de la ville, le colonel et Willy, correctement attablés, entourés de maîtres d'hôtel de grand style...

C'était moins d'une demi-heure après la visite à la morgue. Sir Walter Lampson se tenait un peu raide et l'impassibilité de son visage coloré, surmonté de rares cheveux d'argent, était prodigieuse.

A côté de son élégance, ou plus exactement de sa race, celle de Willy, pourtant désinvolte, sentait la contrefaçon.

Maigret avait dîné ailleurs, s'était mis en rapport téléphonique avec la Préfecture, puis avec la police de Meaux.

Enfin il avait arpenté à pied, tout seul, dans la nuit pluvieuse, le long ruban de route. Il avait aperçu les hublots éclairés du *Southern Cross,* en face du *Café de la Marine.*

Et il avait eu la curiosité de s'y présenter, sous prétexte d'une pipe oubliée.

C'était là qu'il avait recueilli la seconde image : dans la cabine d'acajou, Vladimir, toujours en tricot rayé de marin, une cigarette aux lèvres, était assis en face de Mme Negretti, dont les cheveux huileux pendaient à nouveau sur les joues.

Ils jouaient aux cartes — à *soixante-six,* un jeu de l'Europe Centrale.

Il y avait eu un petit moment de stupeur. Mais pas même un tressaillement! Les souffles suspendus l'espace d'une seconde. Après quoi Vladimir s'était levé pour chercher la pipe. Gloria Negretti avait questionné en zézayant :

— Ils ne reviennent pas encore?... C'est bien Mary?...

Le commissaire avait failli monter sur son vélo et suivre le canal, afin de rejoindre les péniches qui avaient passé la nuit du dimanche au lundi à Dizy. La vue du chemin détrempé, du ciel noir l'avait découragé.

Quand on frappa à sa porte, il se rendit compte, avant même d'ouvrir les yeux, que la fenêtre laissait pénétrer dans la chambre la grisaille de l'aube.

Il avait eu un sommeil agité, tout plein de piétinements de chevaux, d'appels confus, de pas dans l'escalier, de verres heurtés, en bas, et enfin de relents de café et de rhum chaud qui étaient montés jusqu'à lui.

— Qu'est-ce que c'est?

— Lucas! J'entre?...

Et l'inspecteur Lucas, qui travaillait presque toujours avec Maigret, poussa la porte, serra la main moite que son chef lui tendait par une ouverture des draps.

— Vous avez déjà quelque chose? Pas trop fatigué, vieux?

— Pas trop! Tout de suite après votre coup de téléphone, je suis allé à l'hôtel en question, au coin de la rue de la Grande-Chaumière. Les petites n'y étaient pas. J'ai pris les noms à tout hasard... *Suzanne Verdier, dite Suzy, née à Honfleur en 1906... Lia Lauwenstein, née dans le Grand-Duché de Luxembourg en 1903...* La première est arrivée à Paris voilà quatre ans comme bonne à tout faire, puis a travaillé quelque temps comme modèle... La Lauwenstein a surtout vécu sur la Côte d'Azur... Ni l'une ni l'autre, je m'en suis assuré, ne figure sur les registres de la police des mœurs... Mais c'est tout comme!...

— Dites, vieux, vous ne voudriez pas me passer ma pipe et commander du café?

On entendait des remous d'eau dans l'écluse

et un moteur diesel tournant au ralenti. Maigret sortit du lit, se dirigea vers un lavabo dérisoire où il versa de l'eau fraîche dans la cuvette.

— Allez toujours...

— Je me suis rendu à *la Coupole,* comme vous me l'aviez dit... Elles n'y étaient pas, mais tous les garçons les connaissent... Ils m'ont envoyé au *Dingo,* puis à *la Cigogne...* Enfin, dans un petit bar américain dont j'ai oublié le nom, rue Vavin, je les ai trouvées, solitaires, pas très fières... Lia n'est vraiment pas mal... Elle a surtout un genre à elle... Suzy est une brave petite blonde sans méchanceté qui aurait pu faire, si elle était restée dans sa province, une gentille mère de famille... Elle a des taches de son plein la figure et...

— Vous ne voyez pas une serviette quelque part? interrompit Maigret, le visage ruisselant, les yeux clos. A propos, est-ce qu'il pleut toujours?

— Il ne pleuvait pas quand je suis arrivé, mais cela va tomber d'un moment à l'autre. A six heures du matin, il y avait un brouillard qui glaçait les poumons... J'ai donc offert à boire à ces demoiselles... Elles ont tout de suite demandé des sandwichs, ce qui ne m'a pas étonné tout d'abord... Mais j'ai fini par apercevoir le collier de perles que la Lauwenstein avait au cou... En matière de plaisanterie, j'ai mordu dedans... Elles sont tout ce qu'il y a de plus authentique... Pas un collier de milliardaire américaine, mais quelque chose dans les cent mille francs quand même... Or, quand des petites femmes de ce genre préfèrent des sandwichs et du chocolat à des cocktails...

Maigret, qui fumait sa première pipe, alla ouvrir la porte à la fille qui apportait du café. Puis, à travers la fenêtre, il jeta un coup d'œil au yacht, où il n'y avait pas encore trace de vie. Une péniche passait près du *Southern Cross*. Le marinier adossé au gouvernail regardait son voisin avec une admiration grincheuse.

— Alors... Continuez...

— Je les ai conduites ailleurs, dans un café tranquille...

« Là, j'ai montré soudain ma médaille, puis le collier, et j'ai lancé à tout hasard :

« — Les perles de Mary Lampson, n'est-ce pas?

« Mes compagnes ne savaient sans doute pas qu'elle est morte. En tout cas, si elles le savaient, elles ont joué leur rôle à la perfection.

« Elles ont mis quelques minutes à avouer. C'est Suzy qui a fini par conseiller à l'autre :

« — Dis-lui donc la vérité, du moment qu'il en sait déjà tant!

« Et cela a été une jolie histoire... Vous voulez un coup de main, patron?...

Maigret faisait, en effet, de vains efforts pour

attraper les bretelles qui pendaient sur ses cuisses.

— Le point principal, d'abord : elles ont juré toutes les deux que c'est Mary Lampson elle-même qui leur a donné les perles vendredi dernier, à Paris, où elle est venue les voir... Vous devez mieux comprendre que moi, qui ne connais l'affaire que par ce que vous m'en avez dit au téléphone...

« J'ai demandé si Mme Lampson était accompagnée de Willy Marco. Elles prétendent que non, affirment qu'elles n'ont pas vu Willy depuis le jeudi, lorsqu'elles l'ont quitté à Meaux...

— Doucement ! interrompit Maigret en nouant sa cravate devant un miroir grisâtre qui le déformait. Le mercredi soir, le *Southern Cross* arrive à Meaux... Nos deux jeunes personnes sont à bord... La nuit se passe gaiement, en compagnie du colonel, de Willy, de Mary Lampson et de la Negretti...

« Très tard, on conduit Suzy et Lia à l'hôtel et elles s'en vont par le train le jeudi matin... Est-ce qu'on leur a donné de l'argent ?

— Cinq cents francs, disent-elles.

— Elles ont connu le colonel à Paris ?

— Quelques jours plus tôt...

— Et que s'est-il passé à bord du yacht ?

Lucas eut un drôle de sourire.

— Des choses pas excessivement jolies...

L'Anglais, paraît-il, ne vit que pour le whisky et les femmes... Mme Negretti est sa maîtresse...

— Sa femme le savait?

— Parbleu! Elle était elle-même la maîtresse de Willy... Ce qui ne les empêchait pas d'emmener des Suzy et des Lia avec eux... Vous comprenez?... Et Vladimir, par surcroît, dansait avec les unes et les autres... Au petit jour, il y a eu une dispute, parce que Lia Lauwenstein prétendait que les cinq cents francs n'étaient qu'une aumône... Le colonel ne leur a même pas répondu, laissant ce soin à Willy... Tout le monde était ivre... La Negretti dormait sur le roof et Vladimir dut la transporter dans la cabine...

Campé devant la fenêtre, Maigret laissait errer son regard sur la ligne noire du canal et il pouvait apercevoir sur la gauche le petit train Decauville qui charriait toujours de la terre et de la pierraille.

Le ciel était gris, avec, plus bas, des lambeaux de nuages noirâtres, mais il ne pleuvait pas.

— Ensuite?

— C'est à peu près tout... Vendredi, Mary Lampson serait venue à Paris où, à *la Coupole,* elle aurait rencontré nos deux créatures.

« Elle leur aurait donné son collier...

— Tiens donc! Un petit cadeau de rien du tout...

— Pardon! Donné avec mission de le vendre

et de lui verser la moitié de la somme... Elle a prétendu que son mari ne lui laissait pas d'argent entre les mains...

La tapisserie de la chambre était à petites fleurs jaunes. Le broc d'émail y mettait une note livide.

Maigret vit l'éclusier qui arrivait en hâte en compagnie d'un marinier et de son charretier pour boire un coup de rhum au comptoir.

— C'est tout ce que j'ai tiré d'elles! acheva Lucas. Je les ai quittées à deux heures du matin en chargeant l'inspecteur Dufour de les surveiller discrètement. Puis je suis allé à la Préfecture compulser les sommiers, selon les instructions... J'ai trouvé la fiche de Willy Marco, expulsé voilà quatre ans de Monaco à la suite d'une affaire de jeux pas très claire, inquiété à Nice l'année suivante sur la plainte d'une Américaine délestée de quelques bijoux. Mais la plainte a été retirée, j'ignore pourquoi, et Marco laissé en liberté. Vous croyez que c'est lui qui...?

— Je ne crois rien du tout. Et je vous jure que je suis sincère en disant cela. N'oubliez pas que le crime a été commis le dimanche après dix heures du soir, alors que le *Southern Cross* était amarré à La Ferté-sous-Jouarre...

— Qu'est-ce que vous pensez du colonel?

Maigret haussa les épaules, désigna Vladimir qui jaillissait de l'écoutille avant et qui se dirigeait vers le *Café de la Marine*, en pantalon blanc, espadrilles et chandail, un béret américain sur l'oreille.

— On demande M. Maigret au téléphone, vint crier la fille rousse à travers la porte.

— Descendez avec moi, vieux...

L'appareil se trouvait dans le corridor, à côté d'un portemanteau.

— Allô!... C'est Meaux?... Vous dites que?... Oui, *la Providence*... Elle a chargé toute la journée de jeudi à Meaux?... Partie vendredi à trois heures du matin... Pas d'autres?... *L'Eco III*... C'est un bateau-citerne, n'est-ce pas?... Vendredi soir à Meaux... Départ samedi matin... Je vous remercie, commissaire... Oui, interrogez à tout hasard... Toujours à la même adresse!...

Lucas avait écouté cette conversation sans en saisir le sens. Maigret n'avait pas eu le temps d'ouvrir la bouche pour le lui expliquer qu'un agent cycliste se montrait à la porte.

— Une communication de l'Identité Judiciaire... Urgence!...

L'agent avait des taches de boue jusqu'à la ceinture.

— Allez vous sécher un moment et boire un grog à ma santé...

Maigret entraîna l'inspecteur sur le chemin de halage, décacheta le pli, lut à mi-voix :

« *Résumé des premières analyses faites au sujet de l'affaire de Dizy : relevé dans les cheveux de la victime de nombreuses traces de résine ainsi que des poils de cheval d'une teinte acajou.*

« *Les taches de la robe sont des taches de pétrole.*

« *L'estomac, au moment du décès, contenait du vin rouge et de la viande de bœuf conservée similaire à celle qu'on trouve dans le commerce sous le nom de* corned beef. »

— Huit chevaux sur dix ont des poils acajou ! soupira Maigret.

***

Vladimir, dans le café, se renseignait sur l'endroit le plus proche où il pourrait faire ses provisions et il y avait trois personnes à le renseigner, y compris l'agent cycliste d'Épernay qui, en fin de compte, s'en alla vers le pont de pierre en compagnie du matelot.

Maigret, suivi de Lucas, se dirigea vers l'écurie où il y avait, depuis la veille au soir, en plus du cheval gris du patron, une jument couronnée qu'on parlait d'abattre.

— Ce n'est pas ici qu'elle a pu ramasser de la résine... remarqua le commissaire.

Il fit deux fois le chemin du canal à l'écurie, en contournant les bâtiments.

— Vous vendez de la résine? questionna-t-il en apercevant le propriétaire qui poussait une brouette pleine de pommes de terre.

— Ce n'est peut-être pas tout à fait de la résine... Nous appelons ça du goudron de Norvège... On en enduit les péniches en bois au-dessus de la ligne de flottaison... Plus bas, on se contente de goudron de gaz, qui est vingt fois moins cher...

— Vous en avez?

— Il y en a toujours une vingtaine de bidons dans la boutique... Mais, par ce temps-là, on n'en vend pas... Les mariniers attendent le soleil pour remettre leur bateau à neuf...

— *L'Eco III* est en bois?

— En fer, comme la plupart des bateaux à moteur.

— Et *la Providence*...

— En bois... Vous avez découvert quelque chose?

Maigret ne répondit pas.

— Vous savez ce qu'ils disent? poursuivit l'homme, qui avait abandonné sa brouette.

— Qui, « ils »?

— Les gens du canal, les mariniers, les pilotes, les éclusiers. Bien sûr qu'une auto aurait de la peine à suivre le chemin de halage... Mais une motocyclette!... Et une moto, ça peut venir de loin, sans laisser beaucoup plus de traces qu'un vélo...

La porte de la cabine du *Southern Cross* s'ouvrait. Mais on ne voyait encore personne.

Un instant, un point du ciel devint jaunâtre,

comme si le soleil allait enfin parvenir à percer. Maigret et Lucas, silencieux, faisaient les cent pas le long du canal.

Cinq minutes ne s'étaient pas écoulées que le vent courbait les roseaux et une minute plus tard l'averse tombait.

Maigret tendit la main d'un geste machinal. D'un geste aussi machinal, Lucas prit un paquet de tabac gris dans sa poche et le remit à son compagnon.

Ils s'arrêtèrent un moment devant l'écluse qui était vide et qu'on préparait, car un remorqueur invisible avait sifflé trois coups dans le lointain, ce qui signifiait qu'il amenait trois bateaux.

— Où croyez-vous que soit *la Providence* à l'heure qu'il est? demanda Maigret à l'éclusier.

— Attendez... Mareuil... Condé... Vers Aigny, il y a une dizaine de péniches qui se suivent et qui lui feront perdre du temps... L'écluse de Vraux n'a plus que deux vannes en état... Mettons qu'elle soit à Saint-Martin...

— C'est loin?

— Tout juste trente-deux kilomètres...

— Et *l'Eco III?*

— Il devrait être à La Chaussée... Mais un *avalant* m'a dit hier au soir qu'il avait cassé son hélice à l'écluse 12... Si bien que vous le rencontrerez à Tours-sur-Marne, à quinze kilomètres... C'est leur faute!... D'ailleurs, le règlement interdit de charger à deux cent quatre-vingts tonnes comme ils s'obstinent tous à le faire...

***

Il était dix heures du matin. Quand Maigret monta sur la bicyclette qu'il avait louée, il aperçut le colonel installé dans un *rocking-chair*, sur le pont du yacht, ouvrant les journaux de Paris que le facteur venait d'apporter.

— Rien de spécial! dit-il à Lucas. Restez par ici... Ne les perdez pas trop de vue...

Les hachures de pluie s'espaçaient. La route était droite. A la troisième écluse, le soleil se montra, encore un peu pâle, faisant scintiller les gouttelettes d'eau sur les roseaux.

De temps en temps, Maigret devait descendre de machine pour dépasser les chevaux d'une péniche qui, accouplés, prenaient la largeur du chemin, s'avançaient jambe après l'autre, dans un effort qui soulignait tous leurs muscles.

Deux bêtes étaient conduites par une petite fille de huit à dix ans, en robe rouge, qui portait sa poupée à bout de bras.

Les villages, pour la plupart, étaient assez éloignés du canal. Si bien que cette bande régulière d'eau plate semblait s'étirer dans une solitude absolue.

Un champ, par-ci par-là, avec des hommes courbés sur la terre sombre. Mais presque toujours c'étaient des bois. Et des roseaux hauts d'un mètre cinquante à deux mètres ajoutaient encore à l'impression de calme.

Une péniche chargeait de la craie près d'une carrière, dans un poudroiement qui blanchissait sa coque et les hommes qui s'agitaient.

Dans l'écluse de Saint-Martin, il y avait un bateau, mais ce n'était pas encore *la Providence*.

— Ils doivent déjeuner dans le bief au-dessus de Châlons! annonça l'éclusière qui allait et venait d'une porte à l'autre, suivie de deux gosses accrochés à ses jupons.

Maigret avait un front têtu. Il fut surpris, vers onze heures, de se trouver dans un décor printanier, dans une atmosphère toute vibrante de soleil et de tiédeur.

Devant lui, le canal se profilait en ligne droite sur une distance de six kilomètres, bordé des deux côtés par des bois de sapins.

Tout au bout, on devinait les murs clairs d'une écluse dont les portes laissaient gicler des filets d'eau.

A mi-chemin, une péniche était arrêtée, un peu en travers. Ses deux chevaux, dételés, la tête enfouie dans un sac, mangeaient l'avoine en s'ébrouant.

La première impression gaie, ou tout au moins reposante! Pas une maison en vue. Et les reflets, sur l'eau calme, étaient larges et lents.

Quelques coups de pédale encore et le commissaire vit, à l'arrière de la péniche, une table dressée sous le taud protégeant la barre. La toile cirée était à carreaux bleus et blancs. Une femme à chevelure blonde posait au milieu un plat fumant.

Il descendit de machine après avoir lu, sur la coque arrondie, patinée, luisante : *la Providence.*

Un des chevaux le regarda longuement, remua les oreilles, poussa un drôle de grognement avant de se remettre à manger.

***

Entre la péniche et la rive, il n'y avait qu'une planche étroite et mince qui ploya sous le poids de Maigret. Deux hommes déjeunaient, en le suivant des yeux, tandis que la femme s'avançait au-devant de lui.

— Qu'est-ce que c'est? questionna-t-elle tout en boutonnant son corsage à demi ouvert sur une poitrine opulente.

Son accent était presque aussi chantant que celui du Midi. Elle n'était pas troublée. Elle attendait. Elle semblait protéger les deux hommes de sa joyeuse corpulence.

— Un renseignement, dit le commissaire. Vous savez sans doute qu'un crime a été commis à Dizy...

— Les gens du *Castor et Pollux,* qui nous a trématé ce matin, nous l'ont raconté... Est-ce que c'est vrai?... C'est presque impossible, n'est-ce pas?... Comment aurait-on fait?... Et sur le canal, où l'on est si tranquille!...

Ses joues s'ornaient de couperose. Les deux hommes mangeaient toujours, sans cesser d'observer Maigret. Celui-ci, machinalement, jeta un coup d'œil au plat rempli d'une viande noirâtre dont le fumet étonnait ses narines.

— Un chevreau, que j'ai acheté ce matin à l'écluse d'Aigny... Vous vouliez nous demander un renseignement?... Nous, n'est-ce pas? nous sommes partis avant qu'on ait découvert le cadavre... A propos, cette pauvre dame, est-ce qu'on sait enfin qui elle est?...

Un des deux hommes était petit, brun de poil, avec des moustaches tombantes et quelque chose de doux, de docile dans toute sa personne.

C'était le mari. Il s'était contenté de saluer vaguement l'intrus, laissant à sa femme le soin de parler.

L'autre pouvait avoir soixante ans. Ses cheveux, très drus, mal taillés, étaient blancs. Une barbe de trois ou quatre centimètres couvrait son menton et la plus grande partie de ses joues, si bien que, les sourcils étant très épais, il semblait aussi velu qu'un animal.

Par contraste, ses yeux étaient clairs, inexpressifs.

— C'est à votre charretier que je voudrais poser quelques questions...

La femme rit.

— A Jean?... Je dois vous prévenir qu'il ne parle pas beaucoup... C'est notre ours!... Regardez-le manger... Mais c'est aussi le meilleur charretier qu'on puisse trouver...

La fourchette du vieux s'était immobilisée. Il regardait Maigret avec des prunelles d'une limpidité troublante.

Certains innocents de village ont de ces regards-là, et aussi certaines bêtes habituées à être bien traitées et que l'on brutalise soudain.

Un peu d'hébétude. Mais autre chose aussi, d'inexprimable, comme un repliement sur soi-même.

— A quelle heure vous êtes-vous levé pour soigner vos chevaux?

— Comme toujours...

Il avait des épaules d'une largeur d'autant plus étonnante qu'il était très court sur pattes.

— Jean se lève tous les matins à deux heures et demie! intervint la patronne. Vous pouvez regarder nos bêtes... Elles sont pansées chaque jour comme des chevaux de luxe... Et, le soir, vous ne lui feriez pas prendre un coup de blanc avant qu'il les ait bouchonnées...

— Vous dormez dans l'écurie?

Jean n'avait pas l'air de comprendre. Ce fut encore la femme qui désigna une construction plus haute, au milieu du bateau.

— C'est l'écurie! dit-elle. Il couche toujours

là. Nous, nous avons notre cabine à l'arrière... Voulez-vous visiter?...

Le pont était d'une propreté méticuleuse, les cuivres mieux astiqués qu'à bord du *Southern Cross*. Et quand la femme ouvrit une porte de pitchpin, surmontée d'une écoutille en verres de couleurs, Maigret aperçut un petit salon attendrissant.

On y trouvait les mêmes meubles de chêne Henri III que dans le plus traditionnel des intérieurs de petits-bourgeois. La table était couverte d'un tapis brodé à l'aide de soies de teintes différentes et supportait des vases, des photographies montées sur supports, une jardinière débordante de plantes vertes.

Il y avait encore de la broderie sur un buffet. Les fauteuils étaient protégés par des housses au filet.

— Si Jean l'avait voulu, on lui aurait arrangé un lit près de nous... Mais il prétend qu'il ne peut dormir qu'à l'écurie... Même que nous avons toujours peur qu'un jour il reçoive un coup de pied... Les bêtes ont beau le connaître, n'est-ce pas?... Quand elles dorment...

Elle s'était mise à manger, en ménagère qui prépare des petits plats pour les autres et qui choisit les plus mauvais morceaux sans même y penser...

Jean s'était levé, regardait tantôt ses chevaux,

tantôt le commissaire, tandis que le patron roulait une cigarette.

— Et vous n'avez rien vu, rien entendu? questionna Maigret en fixant le charretier.

Ce dernier se tourna vers la patronne qui, la bouche pleine, répondit :

— Vous devez bien penser que, s'il avait vu quelque chose, il l'aurait dit.

— *La Marie* arrive!... annonça son mari avec inquiétude.

Depuis quelques instants, il y avait dans l'air des trépidations de moteur. Maintenant, on distinguait, derrière *la Providence,* la forme d'une péniche.

Jean regarda la femme, qui regarda Maigret avec hésitation.

— Écoutez, dit-elle enfin, si vous devez parler à Jean, cela ne vous fait-il rien de parler en route?... *La Marie,* malgré son moteur, va plus lentement que nous... Si elle nous trémate avant l'écluse, elle en aura pour deux jours à nous barrer la route...

Jean n'avait pas attendu les dernières phrases. Il avait retiré les sacs d'avoine de la tête des chevaux qu'il conduisait à cent mètres en avant de la péniche.

Le patron saisit une trompette de fer-blanc, en tira des sons tremblotants.

— Vous restez à bord?... Nous, vous comprenez, nous vous dirons ce que nous savons...

Tout le monde nous connaît sur les canaux, depuis Liège jusqu'à Lyon...

— Je vous rejoindrai à l'écluse, dit Maigret dont le vélo était resté à terre.

La passerelle fut retirée. Une silhouette venait d'apparaître sur les portes de l'écluse et l'on ouvrait les vannes. Les chevaux se mirent en marche, dans un bruit de grelots, balançant le pompon rouge qu'ils avaient au sommet de la tête.

Jean allait à leur côté, lent, indifférent.

Et la péniche à moteur, deux cents mètres derrière, ralentissait en s'apercevant qu'elle arrivait trop tard.

Maigret suivit, en tenant le guidon de son vélo d'une main. Il pouvait voir la femme qui achevait de manger en hâte et son mari, tout petit, tout maigre, inconsistant, presque couché sur la barre d'un gouvernail trop lourd pour lui.

4

L'AMANT

— J'AI déjeuné! annonça Maigret en pénétrant au *Café de la Marine,* où Lucas était installé près d'une fenêtre.

— A Aigny? questionna le patron. C'est mon beau-frère qui tient l'auberge...

— Servez-nous de la bière...

C'était comme une gageure. A peine le commissaire, peinant sur sa bicyclette, se rapprochait-il de Dizy, que le temps se remettait au gris. Et maintenant des gouttes de pluie hachuraient le dernier rayon de soleil.

Le *Southern Cross* était toujours à sa place. On ne voyait personne sur le pont. Et il n'arrivait aucun bruit de l'écluse, si bien que, pour la première fois, Maigret eut une impression de vraie campagne en entendant les poules piailler dans la cour.

— Rien? demanda-t-il à l'inspecteur.

— Le matelot est revenu avec des provisions.

La femme s'est montrée un instant, en peignoir bleu. Le colonel et Willy sont venus boire l'apéritif. Je crois qu'ils m'ont regardé de travers...

Maigret prit le tabac que son compagnon lui tendait, bourra sa pipe en attendant que le patron qui les avait servis eût disparu dans sa boutique.

— Rien non plus! grommela-t-il alors. Des deux bateaux qui pourraient avoir amené Mary Lampson, l'un est en panne à quinze kilomètres d'ici et l'autre se traîne à une allure de trois kilomètres à l'heure le long du canal...

« Le premier est en fer... Donc, impossible que le cadavre y ait récolté de la résine...

« Le second est en bois... Les mariniers s'appellent Canelle... Une bonne grosse mère, qui a voulu à toute force me faire boire un verre d'affreux rhum, avec un tout petit mari qui court autour d'elle comme un épagneul...

« Il n'y aurait que leur charretier...

« Ou bien il fait la bête, et alors il est prodigieux de vérité, ou bien c'est une brute épaisse... Il y a huit ans qu'il est avec eux... Si le mari est l'épagneul, ce Jean serait le bouledogue...

« Il se lève à deux heures et demie du matin, soigne ses chevaux, avale un bol de café et commence à marcher à côté des bêtes...

« Il tire ainsi ses trente à quarante kilomètres

tous les jours, du même pas, avec un coup de vin blanc à chaque écluse...

« Le soir, il bouchonne les animaux, soupe sans desserrer les dents et se laisse tomber sur sa botte de paille, la plupart du temps tout habillé...

« J'ai vu ses papiers : un vieux carnet militaire dont on peut à peine tourner les pages, tant elles poissent, au nom de Jean Liberge, né à Lille en 1869.

« C'est tout!... Ou plutôt non!... Il faudrait admettre que *la Providence* eût embarqué Mary Lampson le jeudi soir, à Meaux... Or, elle était vivante... Elle vivait encore en arrivant ici le dimanche soir...

« Il est matériellement impossible de cacher un être humain contre son gré pendant deux jours dans l'écurie du bateau...

« Si bien que tous les trois seraient coupables...

Et la grimace de Maigret disait qu'il n'y croyait pas.

— Quant à supposer que la victime s'est embarquée de son plein gré... Savez-vous ce que vous allez faire, vieux? Demandez donc à sir Lampson le nom de jeune fille de sa femme... Accrochez-vous au téléphone et trouvez-moi des renseignements sur elle.

Il traînait encore à deux ou trois endroits du ciel des rayons de soleil, mais la pluie tombait de plus en plus serrée. Lucas était à peine sorti du *Café de la Marine,* se dirigeant vers le yacht, que Willy Marco en descendait, en tenue de ville, souple et nonchalant, le regard vague.

C'était décidément un trait commun à tous les hôtes du *Southern Cross* d'avoir toujours l'air de gens qui n'ont pas assez dormi, ou qui digèrent mal de trop nombreuses libations.

Les deux hommes se croisèrent sur le chemin de halage. Willy parut hésiter en voyant l'inspecteur monter à bord puis, allumant une nouvelle cigarette à celle qu'il achevait de fumer, il marcha droit vers le café.

C'était Maigret qu'il cherchait, sans essayer de donner le change.

Il ne quitta pas son feutre mou, qu'il toucha distraitement du doigt, murmura :

— Bonjour, commissaire... Bien dormi?... Je voudrais vous dire deux mots...

— J'écoute...

— Pas ici, si cela vous est égal... Il n'est pas possible de monter dans votre chambre, par exemple?

Il n'avait rien perdu de sa désinvolture. Ses petits yeux pétillaient et ils n'étaient pas loin d'être joyeux, ou malicieux.

— Vous fumez?

— Merci...

- C'est vrai que vous êtes un fumeur de pipe...

Maigret se décida à le conduire dans sa chambre, qui n'était pas encore faite. Tout de suite, après un regard au yacht, Willy s'assit au bord du lit, commença :

— Bien entendu, vous avez déjà pris des renseignements sur moi...

Il chercha un cendrier des yeux, n'en trouva pas, laissa tomber sa cendre par terre.

— Pas fameux, hein?... Je n'ai d'ailleurs jamais essayé de me faire passer pour un petit saint... Et le colonel me répète trois fois par jour que je suis une canaille...

Ce qui était extraordinaire, c'était l'expression de franchise de son visage. Maigret s'avouait même que son interlocuteur, qui lui avait été antipathique au premier abord, lui devenait supportable.

Un étrange mélange. De la rouerie, de l'astuce. Mais en même temps une étincelle qui faisait pardonner le reste, un rien de drôlerie aussi, qui désarmait.

— Remarquez que j'ai fait mes études à Eton, comme le Prince de Galles... Si nous étions du même âge, nous serions peut-être les meilleurs amis du monde... Seulement mon père est marchand de figues, à Smyrne... Et j'ai horreur de ça!... Il y a eu des histoires... La mère d'un de mes camarades d'Eton, pour tout dire, m'a un moment tiré d'embarras...

« Du moment que je ne vous dis pas son

nom, n'est-ce pas?... Une femme délicieuse... Mais son mari est devenu ministre et elle a eu peur de le compromettre...

« Après... On a dû vous parler de Monaco, puis de l'histoire de Nice... La vérité n'est peut-être pas si vilaine... Un bon conseil : ne croyez jamais ce que raconte une Américaine d'âge mûr qui passe son temps joyeusement sur la Riviera et dont le mari arrive sans prévenir de Chicago... Les bijoux volés ne sont pas toujours volés... Passons!...

« J'arrive au collier... Ou vous savez déjà, ou vous ne savez pas encore... J'aurais voulu vous en parler hier soir, mais, étant donné la situation, ce n'eût peut-être pas été très correct...

« Le colonel est malgré tout un gentleman... Il aime un peu trop le whisky, soit... Mais il a des excuses...

« Il devait finir général et il était un des hommes les plus en vue, à Lima, quand, à cause d'une histoire de femme — il s'agissait de la fille d'un haut personnage indigène —, il a été mis à la retraite...

« Vous l'avez vu... Un homme magnifique, aux appétits formidables... Là-bas, il avait trente boys, des ordonnances, des secrétaires, je ne sais combien de voitures et de chevaux à sa disposition...

« Tout d'un coup, plus rien : quelque chose comme une centaine de mille francs par an...

« Est-ce que je vous ai dit qu'il avait déjà été marié deux fois avant de connaître Mary?... Sa première femme est morte aux Indes... La seconde fois, il a divorcé en prenant tous les torts à son compte après avoir surpris sa compagne avec un boy...

« Un vrai gentleman!...

Et Willy, renversé en arrière, balançait sa jambe à une molle cadence tandis que Maigret, la pipe aux dents, restait immobile, adossé au mur.

— Voilà!... Maintenant, il passe son temps comme il peut... A Porquerolles, il habite son vieux fort, qu'on appelle *le Petit Langoustier*... Quand il y a fait assez d'économies, il va à Paris ou à Londres...

« Mais pensez qu'aux Indes il donnait chaque semaine des dîners de trente ou quarante couverts...

— C'est du colonel que vous vouliez me parler? murmura Maigret.

Willy ne sourcilla pas.

— A vrai dire, j'essaie de vous mettre dans l'atmosphère... Comme vous n'avez jamais vécu aux Indes ni à Londres, que vous n'avez pas eu trente boys et je ne sais combien de jolies filles à votre disposition...

« Je ne cherche pas à vous vexer... Bref, je l'ai rencontré voilà deux ans...

« Vous n'avez pas connu Mary vivante... Une

femme délicieuse, mais avec une cervelle d'oiseau... Un peu criarde... Si l'on ne s'occupait pas sans cesse d'elle, elle piquait une crise de nerfs, ou déclenchait un scandale...

« Au fait, savez-vous l'âge du colonel?... Soixante-huit ans...

« Elle le fatiguait, vous comprenez?... Elle lui passait bien ses fantaisies — car il en a encore! — mais elle était un peu encombrante...

« Elle s'est toquée de moi... Je l'aimais bien...

— Je suppose que Mme Negretti est la maîtresse de sir Lampson?

— Oui! admit le jeune homme avec une moue. C'est difficile à vous expliquer... Il ne peut pas vivre ni boire tout seul... Il a besoin de gens autour de lui... On l'a rencontrée au cours d'une escale à Bandol... Le lendemain matin, elle n'est pas partie... Avec lui, ça suffit!... Elle restera là tant qu'il lui plaira...

« Moi, c'est une autre question... Je suis un des rares hommes à tenir le whisky aussi bien que le colonel...

« A part peut-être Vladimir, que vous avez vu, et qui, neuf fois sur dix, nous met dans nos couchettes...

« Je ne sais pas si vous imaginez au juste ma situation... Certes, je n'ai pas à m'inquiéter de la matérielle... Encore que parfois nous restions quinze jours dans un port à attendre un chèque de Londres pour acheter de l'essence!

« Tenez! Le collier dont je vous parlerai tout à l'heure a été mis vingt fois au Mont-de-Piété...

« Peu importe! Le whisky manque rarement...

« Ce n'est pas une vie fastueuse... Mais on dort tout son saoul... On va... On vient...

« Pour ma part, je préfère encore ça aux figues paternelles...

« Dans les débuts, le colonel avait offert quelques bijoux à sa femme... Elle lui réclamait de temps en temps de l'argent...

« De quoi s'habiller et avoir quelques sous en poche, vous comprenez?...

« Je vous jure, malgré ce que vous pouvez penser, que cela a été pour moi un coup, hier, d'apprendre que c'était elle, sur cette affreuse photo... Au colonel aussi, d'ailleurs!... Mais il se laisserait couper en petits morceaux plutôt que d'en laisser voir quelque chose... C'est son genre! Et bien anglais!...

« Quand nous avons quitté Paris, la semaine dernière, — nous sommes mardi, je crois? — la caisse était très bas... Le colonel a télégraphié à Londres pour demander une avance sur sa pension... Nous l'attendions à Épernay... Le mandat est peut-être arrivé à l'heure qu'il est...

« Seulement, à Paris, je laissais quelques dettes... Deux ou trois fois, déjà, j'avais demandé à Mary pourquoi elle ne vendait pas son collier... Elle aurait pu dire à son mari qu'elle l'avait perdu, ou qu'on le lui avait volé...

« Il y a eu jeudi soir la fête que vous savez. Surtout, ne vous faites pas d'idées folles a ce sujet... Du moment que Lampson voit des jolies femmes, il faut qu'il les invite à bord...

« Puis, deux heures après, une fois saoul, il me charge de les mettre dehors avec le moins de frais possible...

« Jeudi, Mary était levée beaucoup plus tôt que d'habitude et, quand nous sommes sortis de nos couchettes, elle était déjà dehors...

« Après déjeuner, nous sommes restés seuls un moment, elle et moi... Elle s'est montrée très tendre... D'une tendresse spéciale, assez triste...

« A certain moment, elle m'a mis son collier dans la main en disant :

« — Tu n'auras qu'à le vendre...

« Tant pis si vous ne me croyez pas!... J'ai été un peu gêné, un peu remué... Si vous l'aviez connue, vous comprendriez...

« Autant elle pouvait être parfois désagréable, autant, à d'autres moments, elle était émouvante...

« Vous savez... Elle avait quarante ans... Elle se défendait... Mais elle devait bien sentir que c'était la fin...

« Quelqu'un est entré... J'ai mis le collier dans ma poche... Le soir, le colonel nous a entraînés au dancing et Mary est restée seule à bord...

« Lorsque nous sommes revenus, elle n'était pas là... Lampson ne s'en est pas inquiété, car ce n'était pas la première fois qu'elle faisait une fugue...

« Et pas du tout les fugues que vous pourriez croire!... Une fois, par exemple, à l'occasion de la fête de Porquerolles, il y a eu au *Petit Langoustier* une bonne petite orgie, qui a duré près d'une semaine...

« Les premiers jours, Mary était la plus en train... Le troisième jour, elle disparaît...

« Et savez-vous où nous l'avons retrouvée? Dans une auberge de Gien, où elle passait son temps à jouer à la maman avec deux gosses mal lavés...

« L'histoire du collier m'ennuyait... Le vendredi, je suis allé à Paris... J'ai failli le vendre... Puis je me suis dit que, s'il y avait du vilain, cela risquait de m'attirer des ennuis...

« J'ai pensé aux deux petites de la veille... Ces gamines-là, on en fait ce qu'on en veut... En outre, j'avais déjà rencontré Lia à Nice et je savais pouvoir compter sur elle...

« Je lui ai confié le bijou... A tout hasard, je lui ai recommandé de dire, si on la questionnait, que Mary le lui avait remis elle-même pour le vendre...

« C'est simple comme bonjour... C'est idiot!... J'aurais mieux fait de rester tranquille... N'empêche que, si je ne tombe pas sur des policiers intelligents, c'est une histoire à m'envoyer en cour d'assises...

« Je l'ai compris quand j'ai su hier que Mary avait été étranglée...

« Je ne vous demande pas ce que vous pensez... Je m'attends même, pour être franc, à être arrêté...

« Ce sera une erreur, un point c'est tout... Maintenant, si vous voulez que je vous aide, je suis prêt à vous donner un coup de main...

« Il y a des choses qui peuvent vous sembler bizarres et qui sont au fond toutes simples...

Il était presque étendu sur le lit et il fumait toujours, les yeux braqués au plafond.

Maigret alla se camper devant la fenêtre afin de cacher son embarras.

— Le colonel est au courant de cette démarche? questionna-t-il en se retournant soudain.

— Pas plus que de l'affaire du collier... Et même... Je n'ai rien à réclamer, c'est entendu... Mais j'aimerais autant qu'il continue à l'ignorer...

— Mme Negretti?...

— Un poids mort! Une belle femme incapable de vivre autrement que sur un divan, de fumer des cigarettes et de boire des liqueurs douces... Du jour où elle est arrivée à bord. Elle y est restée... Pardon! Elle joue aux cartes!... Je crois bien que c'est sa seule passion...

Des criaillements de fer rouillé annoncèrent qu'on était en train d'ouvrir les portes de l'écluse. Deux mulets passèrent devant la maison, s'arrêtèrent un peu plus loin, tandis qu'une péniche vide continuait à glisser sur son aire, comme si elle voulait escalader le talus de la berge.

Vladimir, le corps plié en deux, écopait l'eau de pluie qui menaçait de remplir le youyou.

Une auto traversa le pont de pierre, voulut s'engager sur le chemin de halage, stoppa, esquissa des manœuvres maladroites et finit par s'arrêter définitivement.

Un homme en noir en sortit. Willy, qui s'était levé, lança un coup d'œil par la fenêtre, annonça :

— Les Pompes Funèbres...

— Quand le colonel compte-t-il partir?

— Tout de suite après l'enterrement...

— Qui aura lieu ici?

— N'importe où! Il a déjà une femme enterré près de Lima, une autre remariée avec un New-Yorkais et qui finira sous le sol américain...

Maigret le regarda malgré lui, comme pour voir s'il plaisantait. Mais Willy Marco était sérieux, avec néanmoins cette petite flamme équivoque sur les prunelles.

— Pourvu que le mandat soit arrivé!... Sinon, les funérailles devront attendre...

L'homme en noir hésitait devant le yacht, s'adressait à Vladimir qui lui répondait sans interrompre son travail, montait enfin à bord, ou il disparut dans la cabine.

Maigret n'avait pas revu Lucas.

— Allez! dit-il à son interlocuteur.

Willy hésita. Un instant, une inquiétude passa sur ses traits.

— Vous allez lui parler du collier?

— Je ne sais pas...

C'était déjà fini. A nouveau désinvolte, Willy rectifiait la fente de son chapeau souple, saluait d'un geste de la main, descendait l'escalier.

Quand Maigret descendit à son tour, il y avait deux mariniers au comptoir, devant une canette de bière.

— Votre ami est au téléphone... lui dit le patron. Il a demandé Moulins...

Un remorqueur sifflait dans le lointain et machinalement Maigret compta les coups, grommela pour lui-même :

— Cinq...

C'était la vie du canal. Cinq péniches qui arrivaient. L'éclusier en sabots sortait de sa maison et s'en allait vers ses vannes.

Lucas revint du téléphone avec le visage rouge.

— Ouf!... Cela a été dur...

— Qu'est-ce qu'il y a?

— Le colonel m'a déclaré que sa femme était née Marie Dupin... Pour le mariage, elle a produit un extrait d'acte de naissance à ce nom émanant de Moulins... Je viens de téléphoner là-bas, en réclamant la priorité...

Alors?

– Une seule Marie Dupin est inscrite sur les registres. Elle a quarante-deux ans, trois enfants et est la femme d'un certain Piedbœuf, boulanger dans la rue Haute... Le secrétaire de la mairie qui m'a répondu l'a encore aperçue hier derrière son comptoir et il paraît qu'elle pèse dans les cent quatre-vingts livres...

Maigret ne dit rien. Comme un rentier désœuvré, il se dirigea vers l'écluse, sans s'inquiéter de son compagnon, suivit des yeux toutes les manœuvres, mais en donnant à chaque instant de petits coups de pouce rageurs dans sa pipe.

Un peu plus tard, Vladimir s'approchait de l'éclusier et, après avoir porté la main à son bonnet blanc, demandait où il pourrait faire le plein d'eau potable.

5

L'INSIGNE DE L'Y.C.F.

MAIGRET s'était couché de bonne heure, tandis que l'inspecteur Lucas, à qui il avait donné des instructions, s'en allait à Meaux, Paris et Moulins.

Au moment où il avait quitté la salle du café, il y avait trois consommateurs, des mariniers et la femme de l'un d'eux qui était venue rejoindre son mari et qui tricotait dans un coin.

C'était morne et lourd. Dehors, une péniche s'était rangée à moins de deux mètres du *Southern Cross* dont tous les hublots étaient éclairés.

Or, brusquement, le commissaire était tiré d'un rêve si vague qu'il ne s'en souvint plus en ouvrant les yeux. On frappait à sa porte à coups précipités tandis qu'une voix affolée criait :

— Commissaire !... Commissaire !... Vite !... Mon père...

Il courut ouvrir, en pyjama, vit la fille de

l'aubergiste se jeter sur lui avec une nervosité inattendue, se blottir littéralement dans ses bras.

— Là!... Allez vite... Non! Restez... Je n'ose pas demeurer seule... Je ne veux pas... J'ai peur...

Il n'avait jamais beaucoup pris garde à elle. Il l'avait considérée comme une fille solide, bien en chair, sans nerfs.

Et voilà qu'elle se raccrochait à lui, le visage bouleversé, le corps pantelant, avec une insistance gênante. Tout en essayant de se dégager, il se dirigea vers la fenêtre, qu'il ouvrit.

Il devait être six heures du matin. Le jour se levait à peine, froid comme une aube d'hiver.

A cent mètres du *Southern Cross,* dans la direction du pont de pierre et de la route d'Épernay, quatre ou cinq hommes essayaient, à l'aide d'une lourde gaffe de péniche, de saisir quelque chose flottant sur l'eau tandis qu'un marinier détachait son bachot, commençait à godiller.

Maigret portait un pyjama tout frippé. Il jeta son pardessus sur ses épaules, chercha ses bottines qu'il chaussa à même ses pieds nus.

— Vous savez!... C'est *lui*... Ils l'ont...

D'un mouvement brusque, il se libéra de l'étreinte de l'étrange fille, descendit l'escalier, arriva dehors au moment où une femme qui portait un bébé sur le bras s'avançait vers le groupe.

Il n'avait pas assisté à la découverte du corps de Mary Lampson. Mais cette découverte-ci fut peut-être plus sinistre, car, par le fait de cette répétition de crimes, une angoisse quasi mystique plana sur le bout de canal.

Les hommes s'interpellaient. Le patron du *Café de la Marine,* qui avait vu le premier une forme humaine flotter sur l'eau, dirigeait leurs efforts.

Deux fois la gaffe avait atteint le cadavre. Mais le croc avait glissé. Le corps s'était enfoncé de quelques centimètres avant de remonter à la surface.

Maigret avait déjà reconnu le complet sombre de Willy. On ne pouvait pas voir le visage, car la tête, plus lourde, restait immergée.

Le marinier en bachot la heurta soudain, saisit le mort par la poitrine, d'une seule main, le hissa. Mais il fallait le faire passer par-dessus le bord de la barque.

L'homme était sans répugnance. Il souleva les jambes l'une après l'autre, lança son amarre à terre, essuya d'un revers de main son front ruisselant.

Un instant Maigret aperçut la tête endormie de Vladimir qui surgissait de l'écoutille du yacht. Le Russe se frottait les yeux. Puis il disparut.

– Ne touchez à rien...

Un marinier protesta, derrière lui, murmura

que son beau-frère, en Alsace, avait été rappelé à la vie après être resté près de trois heures dans l'eau.

Le patron du café, lui, désignait la gorge du cadavre. C'était net : deux traces de doigts, toutes noires, comme sur le cou de Mary Lampson.

Cette tragédie fut la plus impressionnante. Willy avait les yeux grands ouverts, beaucoup plus grands même que d'habitude. Sa main droite était crispée sur une poignée de roseaux.

Maigret eut la sensation d'une présence insolite derrière lui, se retourna et vit le colonel, en pyjama, lui aussi, une robe de chambre de soie passée par-dessus, les pieds dans des mules de chevreau bleu.

Ses cheveux argentés étaient en désordre, son visage un peu bouffi. Et c'était étrange de le voir ainsi, en cette tenue, parmi les mariniers en sabots et en vêtements de gros drap, dans la boue et l'humidité du petit jour.

Il était le plus grand, le plus large. Il émanait de lui un vague parfum d'eau de Cologne.

— C'est Willy!... articula-t-il d'une voix rauque.

Puis il dit quelques mots en anglais, trop vite pour que Maigret pût comprendre, se pencha, toucha le visage du jeune homme.

La fille qui avait éveillé le commissaire sanglotait, appuyée à la porte du café. L'éclusier accourait.

— Téléphonez à la police d'Épernay... Un médecin...

La Negretti elle-même se montrait, débraillée, pieds nus, mais n'osait pas quitter le pont du yacht, appelait le colonel :

— Walter!... Walter...

A l'arrière-plan, il y avait des gens qu'on n'avait pas vu arriver : le conducteur du petit train, des terrassiers, un paysan dont la vache suivait toute seule le chemin de halage.

— Qu'on le transporte au café... En le touchant le moins possible...

La mort ne faisait aucun doute. L'élégant complet, qui n'était plus qu'une loque, traîna par terre, tandis qu'on soulevait le corps.

Le colonel suivit à pas lents et sa robe de chambre, ses mules bleues, son crâne coloré où le vent soulevait quelques longs cheveux le rendaient à la fois saugrenu et hiératique.

La fille redoubla de sanglots quand le cadavre passa près d'elle, courut s'enfermer dans la cuisine. Le patron hurlait dans le cornet du téléphone :

— Mais non, mademoiselle!... La police!... Vite!... C'est un crime... Ne coupez pas... Allô!... Allô!...

Maigret empêcha le plus gros des curieux d'entrer. Mais les mariniers qui avaient découvert le cadavre et aidé à le repêcher se trouvèrent tous dans le café où traînaient encore sur les tables les verres et les litres vides de la veille. Le poêle ronflait. Un balai était au milieu du chemin.

Derrière une fenêtre, le commissaire aperçut la silhouette de Vladimir qui avait trouvé le temps de mettre son calot de marin américain sur sa tête. Les mariniers lui parlaient, mais il ne répondait pas.

Le colonel regardait toujours le cadavre étendu sur les dalles rougeâtres du sol et l'on n'eût pu dire s'il était ému, ou ennuyé, ou effrayé.

— Quand l'avez-vous vu pour la dernière fois? questionna Maigret en s'approchant.

Sir Lampson soupira, eut l'air de chercher autour de lui celui qu'il chargeait d'habitude de répondre à sa place.

— C'est très affreux... articula-t-il enfin.

— Il n'a pas dormi à bord?

D'un geste de la main, l'Anglais désigna les mariniers qui les écoutaient. Et c'était comme un rappel à la décence. Cela signifiait :

— Est-ce que vous croyez nécessaire et convenable que ces gens...

Maigret les fit sortir.

— Il était dix heures, hier soir... Il n'y avait plus de whisky à bord... Vladimir n'en avait pas trouvé à Dizy... J'ai voulu aller à Épernay...

— Willy vous a accompagné?

— Pas longtemps... Un peu après le pont, il m'a quitté...

— Pourquoi?

— Nous avons échangé des paroles...

Et tandis que le colonel prononçait ces mots, le regard fixé sur le visage défait, blafard, tordu du mort, ses traits se brouillèrent.

Peut-être le fait qu'il avait trop peu dormi et que ses chairs étaient bouffies lui donnait-il un air plus ému? Maigret, en tout cas, eût juré qu'il y avait des larmes derrière ses paupières épaisses.

— Vous vous êtes disputés?

Le colonel haussa les épaules, comme pour se résigner à ce terme vulgaire et brutal.

— Vous lui reprochiez quelque chose?...

— No! Je voulais savoir... Je répétais: « Willy, vous êtes une canaille... Mais vous devez me dire... »

Il se tut, accablé, regarda autour de lui pour ne pas se laisser hypnotiser par le mort.

— Vous l'accuseriez du meurtre de votre femme?

Il haussa encore les épaules, soupira :

— Il est parti, tout seul... Quelquefois, c'est arrivé... Le lendemain, on buvait le premier whisky ensemble sans se souvenir...

— Vous êtes allé à pied jusqu'à Épernay?

— Yes!

— Vous avez bu?

Ce fut un regard apitoyé que le colonel laissa peser sur son interlocuteur.

— J'ai aussi joué, au club... On m'avait dit, à *la Bécasse,* qu'il y avait un club... Je suis revenu en auto...

— A quelle heure?

Il fit comprendre d'un mouvement de la main qu'il n'en savait rien.

— Willy n'était pas dans sa couchette?

— Non... Vladimir m'a dit, en me déshabillant...

Une moto avec side-car stoppa devant la porte. Un brigadier en descendit, suivi d'un médecin. L'huis s'ouvrit, se referma.

— Police Judiciaire! dit Maigret en se présentant à son collègue d'Épernay. Voulez-vous maintenir les gens à distance, téléphoner au Parquet...

Le médecin n'eut besoin que d'un bref examen pour déclarer :

— Il était mort au moment de l'immersion... Regardez ces traces...

Maigret les avait vues. Il savait. Machinalement il observa la main droite du colonel, qui était musclée, avec des ongles taillés carré, des veines qui saillaient...

***

Il faudrait au moins une heure pour réunir le

Parquet et l'amener sur les lieux. Des agents cyclistes arrivaient, formaient cordon autour du *Café de la Marine* et du *Southern Cross*.

— Je peux m'habiller? avait questionné le colonel.

Et malgré sa robe de chambre, ses mules, ses chevilles nues, il fut étonnant de dignité, tandis qu'il traversait les rangs de curieux. A peine entré dans la cabine, il en sortit la tête, appela :

— Vladimir!...

Et toutes les écoutilles du yacht se refermèrent.

Maigret interrogeait l'éclusier, qu'un bateau à moteur appelait à ses portes.

— Je suppose que, dans un canal, il n'y a pas de courant. Si bien qu'un corps doit rester à l'endroit où il a été jeté...

— Dans les grands biefs, de dix ou quinze kilomètres, il en est ainsi... Mais ce bief n'en a même pas cinq... Si un bateau descend l'écluse 13, au-dessus de la mienne, je sens l'arrivée d'eau quelques minutes plus tard... Si moi-même j'écluse un bateau avalant, ce sont des mètres cubes de liquide que je tire du canal et qui créent un courant momentané...

— A quelle heure commencez-vous le travail?

— En principe, au lever du soleil... En fait, beaucoup plus tôt... Les *écuries*, dont la marche est lente, partent vers trois heures du matin, éclusent le plus souvent eux-mêmes sans que nous les entendions... On ne dit rien, parce qu'on les connaît...

— Si bien que ce matin?...

— Le *Frédéric*, qui a couché ici, a dû partir vers trois heures et demie, écluser à Ay à cinq heures...

Maigret fit demi-tour. En face du *Café de la Marine* et sur le chemin de halage, quelques groupes s'étaient formés. Comme le commissaire passait, se dirigeant vers le pont de pierre, un vieux pilote au nez bourgeonnant s'approcha de lui.

— Voulez-vous que je vous montre l'endroit où le jeune homme a été jeté à l'eau?

Et il regarda fièrement ses camarades qui hésitaient à se mettre en marche dans la même direction.

Il avait raison. A cinquante mètres du pont de pierre, les roseaux étaient couchés sur une distance de plusieurs mètres. Non seulement on y avait marché, mais un corps lourd avait été traîné sur le sol, car le sillage était large, les roseaux aplatis.

— Vous voyez?... J'habite à cinq cents mètres, une des premières maisons de Dizy... En arrivant ce matin, pour voir si des bateaux descendaient la Marne et avaient besoin de moi, ça m'a frappé... D'autant plus que j'ai trouvé ce machin-ci sur le chemin...

L'homme était fatigant, avec ses grimaces

malicieuses, les regards qu'il continuait à lancer à ses compagnons qui suivaient à distance.

Mais l'objet qu'il tira de sa poche était du plus haut intérêt. C'était un insigne d'émail finement travaillé qui portait, outre une ancre à jet, les initiales : *Y.C.F.*

— Yachting Club de France! traduisit le pilote. Ils ont tous ça à la boutonnière...

Maigret se tourna vers le yacht qu'on apercevait à deux kilomètres environ et, sous les mots *Southern Cross,* aperçut les mêmes lettres : *Y.C.F.*

Sans se préoccuper davantage de son compagnon, qui lui avait remis l'insigne, il marcha lentement jusqu'au pont. A droite, la route d'Épernay s'étendait, toute droite, encore luisante des pluies de la veille, et des voitures passaient en trombe.

A gauche, le chemin faisait un coude dans le village de Dizy. Au-delà, sur le canal, il y avait quelques péniches en réparation, en face des chantiers de la Compagnie Générale de Navigation.

Maigret revint sur ses pas, un peu fiévreux, parce que le Parquet allait arriver et que pendant une heure ou deux ce seraient la bousculade habituelle, les questions, les allées et venues, les hypothèses les plus saugrenues.

Quand il fut a hauteur du yacht, celui-ci était toujours fermé. Un agent en uniforme faisait les cent pas à distance, priait les curieux de circuler, mais ne pouvait empêcher deux journalistes d'Épernay de prendre des photographies.

Le temps n'était ni beau ni laid. Une grisaille lumineuse, uniforme comme un plafond de verre dépoli.

Maigret traversa la passerelle, frappa à la porte.

— Qui est là? questionna la voix du colonel.

Il entra. Il n'avait pas envie de parlementer. Il aperçut la Negretti toujours aussi débraillée, les cheveux sur les joues et sur la nuque, qui essuyait ses larmes et reniflait.

Sir Lampson, assis sur la banquette, tendait ses pieds à Vladimir qui les chaussait de souliers acajou.

De l'eau devait bouillir quelque part sur un réchaud, car on entendait un jet de vapeur.

Les deux couchettes du colonel et de Gloria n'avaient pas encore été faites. Et des cartes à jouer traînaient sur la table, ainsi qu'une carte des voies navigables de France.

Toujours cette odeur sourde et épicée tout ensemble, rappelant à la fois le bar, le boudoir et l'alcôve. Une casquette de yachting en drap blanc pendait au portemanteau, à côté d'une cravache à manche d'ivoire.

— Est-ce que Willy faisait partie du Yacht Club de France? questionna Maigret d'une voix qu'il essaya de rendre neutre.

Le haussement d'épaules du colonel lui fit comprendre que la question était ridicule. Et elle l'était, car l'Y.C.F. est un des clubs les plus fermés.

— Moi! laissa tomber sir Lampson. Et aussi du Royal Yacht Club d'Angleterre...

— Voulez-vous me montrer le veston que vous portiez hier au soir?

— Vladimir...

Il était chaussé. Il se leva, se pencha vers une petite armoire aménagée en cave à liqueurs. On n'y voyait aucune bouteille de whisky. Mais il y avait d'autres alcools, entre lesquels il hésita.

Enfin il sortit une bouteille de fine, murmura sans insister :

— Vous prenez?

— Merci...

Il emplit un gobelet d'argent qui se trouvait dans un râtelier, au-dessus de la table, chercha un siphon, sourcilla comme un homme dont toutes les habitudes sont bouleversées et qui en souffre.

Vladimir revenait du cabinet de toilette avec un complet de cheviotte noire, et un geste de son maître lui ordonna de le remettre à Maigret.

— L'insigne de l'Y.C.F. se trouvait d'habitude à ce veston?

— Yes... Est-ce que ce n'est pas encore fini?... Willy est toujours par terre, là-bas?...

Il avait vidé son verre, debout, à petites gorgées, et il hésitait à se servir à nouveau.

Il jeta un regard par le hublot, aperçut des jambes, poussa un grognement indistinct.

— Voulez-vous m'écouter un instant, colonel?

Il fit signe qu'il écoutait. Maigret sortit le bouton d'émail de sa poche.

— Il a été trouvé ce matin à l'endroit où le corps de Willy a été traîné dans les roseaux avant d'être poussé dans le canal...

La Negretti retint un cri, se jeta sur la banquette de velours grenat et, la tête dans les mains, se mit à sangloter convulsivement.

Vladimir, lui, ne bougea pas. Il attendait qu'on lui remît le veston afin de le suspendre à nouveau à sa place.

Le colonel eut un drôle de rire, répéta quatre ou cinq fois :

— Yes!... Yes!...

Et, en même temps, il se versait de l'alcool.

— Chez nous, la police questionne autrement... Elle doit rappeler que toutes les paroles pourront servir contre celui qui les prononce... Je veux dire une fois... Vous ne devez pas écrire?... Je ne répéterai pas tout le temps...

« Nous échangions des paroles, avec Willy... Je demandais... Peu importe...

« Ce n'est pas une canaille comme toutes les canailles... Il y a des sympathiques canailles...

« J'ai dit des mots trop durs et il a pris mon veston par ici...

Il montrait les revers, lançait un regard impatient aux pieds chaussés de sabots ou de lourds souliers qu'on apercevait toujours par les hublots.

— C'est tout... Je ne sais pas... Le bouton est peut-être tombé... C'était de l'autre côté du pont...

— Et pourtant l'insigne a été retrouvé de ce côté-ci...

Vladimir ne semblait même pas écouter. Il enlevait les objets qui traînaient, disparaissait à l'avant, revenait sans se presser.

Avec un accent russe très prononcé il demanda à Gloria, qui ne pleurait plus mais qui restait immobile, étendue de tout son long, la tête entre les mains :

— Vous voulez quelque chose?

Des pas retentirent sur la passerelle. On frappa à la porte et la voix du brigadier prononça :

— Vous êtes là, commissaire?... C'est le Parquet...

Je viens!...

Le brigadier ne bougeait pas, invisible derrière la porte d'acajou à poignées de cuivre.

Une question encore, colonel... Quand a lieu l'enterrement?...

- A trois heures...

— Aujourd'hui?

— Yes!... Je n'avais rien à faire ici...

Lorsqu'il eut avalé son troisième cognac trois étoiles, il montra des yeux plus troubles, ceux-là que Maigret avait déjà vus.

Et, flegmatique, indifférent, vraiment grand seigneur, il questionna, comme le commissaire faisait mine de sortir :

— Est-ce que je suis prisonnier?...

Du coup, la Negretti redressa la tête, toute pâle.

6

LE BÉRET AMÉRICAIN

LA fin de l'entrevue entre le juge et le colonel fut presque solennelle et il n'y eut pas que Maigret, qui se tenait à l'écart, à le remarquer, Le regard du commissaire rencontra celui du substitut au procureur de la République et y lut le même sentiment.

Le Parquet était rassemblé dans la salle du *Café de la Marine*. Une des portes donnait sur la cuisine, où l'on devinait des heurts de casseroles. L'autre porte, vitrée, couverte de transparents-réclame pour des pâtes à fourneau et du savon minéral, permettait d'entrevoir les sacs et les caisses de la boutique.

Devant la fenêtre passait et repassait le képi d'un agent, et les curieux étaient massés plus loin, silencieux, mais obstinés.

Une chopine qui contenait encore un peu de liquide était restée, près d'une flaque de vin, sur une des tables.

Le greffier écrivait, assis sur un banc sans dossier, le visage maussade.

Quant au cadavre, les constatations terminées, il avait été déposé dans le coin le plus éloigné du poêle et recouvert momentanément d'une toile cirée brune prise sur une table qui montrait maintenant ses planches disjointes.

L'odeur persistait : épices, écurie, goudron, vinasse.

Et le juge, qui passait pour un des magistrats les plus désagréables d'Épernay — un Clairfontaine de Lagny, fier de ses particules —, essuyait son lorgnon, le dos au feu.

Dès le début, il avait dit, en anglais :

— Je suppose que vous préférez employer votre langue...

Il la parlait lui-même correctement, avec, peut-être, un rien d'affectation, une torsion de la bouche commune à ceux qui veulent en vain adopter l'accent.

Sir Lampson s'était incliné, avait répondu lentement à toutes les questions, tourné vers le greffier qui écrivait, attendant de temps à autre que celui-ci l'eût rattrapé.

Il avait répété, sans plus, ce qu'il avait dit à Maigret lors de leurs deux entrevues.

Pour la circonstance, il avait revêtu un complet de croisière bleu marine d'une coupe presque militaire, dont la boutonnière était ornée d'un seul ruban : celui de l'Ordre du Mérite.

Il tenait à la main une casquette à large écusson doré portant les armes du Yacht Club de France.

C'était tout simple. Un homme qui questionnait. L'autre qui s'inclinait chaque fois imperceptiblement avant de répondre.

N'empêche que Maigret admirait, en même temps qu'il ressentait une certaine humiliation au souvenir de ses intrusions, à lui, à bord du *Southern Cross*.

Il ne possédait pas assez l'anglais pour saisir toutes les nuances. Il comprit du moins le sens des dernière répliques.

— Je vous demanderai, sir Lampson, disait le juge, de vous tenir à ma disposition jusqu'à ce que ces deux affaires soient éclaircies. Je me vois forcé, en outre, de refuser quant à présent le permis d'inhumer de lady Lampson...

Une inclinaison de la tête.

— Ai-je l'autorisation de quitter Dizy avec mon bateau?

Et, du geste, le colonel désignait les badauds attroupés dehors, le décor, le ciel même.

— Ma maison est à Porquerolles... Il me faut une semaine rien que pour atteindre la Saône...

Ce fut au tour du juge de s'incliner.

Ils ne se serrèrent pas la main, mais ce fut tout juste. Le colonel regarda autour de lui, parut ne pas voir le médecin qui avait l'air ennuyé, ni Maigret qui détourna la tête, salua le substitut.

L'instant d'après il traversait le court espace séparant le *Café de la Marine* du *Southern Cross*.

Il ne pénétra même pas dans la cabine. Vladimir était sur le pont. Il lui donna des ordres, s'installa à la barre.

Et, à la grande stupeur des mariniers, on vit le matelot en chandail rayé descendre dans la chambre du moteur, mettre celui-ci en marche, faire sauter, du pont et d'un geste précis, les amarres de leurs bittes.

Quelques instants plus tard, un petit groupe s'éloignait en gesticulant vers la grand-route où attendaient les voitures : c'était le Parquet.

Maigret restait seul sur la berge. Il avait pu enfin bourrer sa pipe et il enfonçait ses mains dans ses poches d'un geste plébéien, plus plébéien que d'habitude, tout en grommelant :

— *Autant!...*

Est-ce que tout n'était pas à recommencer?

Des opérations du Parquet, il ne ressortait que quelques points dont on ne pouvait encore apprécier l'importance.

D'abord le corps de Willy Marco portait, outre des traces de strangulation, des meurtrissures aux poignets et au torse. Selon le médecin, il fallait écarter l'idée de guet-apens et admettre la thèse d'un combat avec un adversaire d'une force exceptionnelle.

D'autre part, sir Lampson avait déclaré qu'il avait rencontré sa femme à Nice où, bien que divorcée avec un Italien du nom de Ceccaldi, elle portait encore son nom.

Le colonel n'avait pas été précis. Ses phrases volontairement ambiguës laissaient supposer qu'à cette époque Marie Dupin, dite Ceccaldi, était dans un état proche de la misère et vivait de la générosité de quelques amis, sans tomber complètement dans la galanterie.

Il l'avait épousée lors d'un voyage à Londres et c'est alors qu'elle avait fait venir de France un extrait d'acte de naissance au nom de Marie Dupin.

— C'était une femme tout à fait charmante...

Maigret revoyait le visage gras, digne et coloré du colonel, tandis qu'il prononçait ces paroles, sans affectation, avec une simplicité grave que le juge avait paru apprécier.

Il dut reculer pour laisser passer la civière qui emportait le corps de Willy.

Et brusquement, haussant les épaules, il pénétra dans le café, se laissa tomber sur un banc, commanda :

— Un demi !...

***

Ce fut la fille qui le servit, les yeux encore rouges, le nez luisant. Il la regarda avec intérêt et, avant qu'il l'eût questionnée, elle murmura en s'assurant qu'on ne pouvait l'entendre :

— Est-ce qu'il a beaucoup souffert?

Elle avait un visage fruste, des chevilles épaisses, de gros bas rouges. C'était néanmoins le seul être à s'inquiéter de l'élégant Willy qui, peut-être, par jeu, la veille, lui avait pincé la taille — s'il l'avait fait!

Cela rappelait à Maigret la conversation qu'il avait eue avec le jeune homme à demi étendu sur le lit défait, là-haut, fumant cigarette sur cigarette.

On réclamait la fille ailleurs. Un marinier lui lançait :

— Paraît que t'es toute retournée, Emma...

Et elle essayait de sourire, en regardant Maigret d'un air complice.

Le trafic était interrompu depuis le matin. Il y avait sept bateaux, dont trois moteurs, en face de *la Marine*. Les femmes venaient aux provisions et chaque fois tintait la grêle sonnerie de la boutique.

— Quand vous voudrez déjeuner... dit le patron à Maigret.

— Tout à l'heure!

Et, du seuil, il regarda l'endroit où le matin encore le *Southern Cross* était amarré.

Dans la soirée, deux hommes en étaient sortis, bien portants. Ils s'étaient dirigés vers le pont de pierre. S'il fallait en croire le colonel, ils s'étaient séparés après une discussion et sir Lampson avait poursuivi son chemin sur la route déserte, toute droite, longue de trois kilomètres, qui conduit aux premières maisons d'Épernay.

Nul n'avait revu Willy vivant. Quand le colonel était revenu, en taxi, il n'avait rien remarqué d'anormal.

Aucun témoin! Personne n'avait rien entendu! Le boucher de Dizy, qui habitait à six cents mètres du pont, prétendait que son chien avait aboyé, mais, comme il ne s'en était pas inquiété, il ne pouvait dire à quelle heure.

Le chemin de halage, avec ses flaques, ses mares, était trop piétiné par les hommes et les chevaux pour qu'on pût y relever des traces précises.

Le jeudi précédent, Mary Lampson, bien portante, elle aussi, dans un état en apparence normal, quittait le *Southern Cross* où elle se trouvait seule.

Auparavant — selon Willy — elle avait remis à son amant un collier de perles, le seul bijou de valeur qu'elle possédât.

Et l'on perdait sa trace. Nulle part on ne la revoyait en vie. Deux jours s'écoulaient sans qu'on l'aperçût.

Le dimanche soir, elle était étranglée, enfouie sous la paille d'une écurie de Dizy, à cent kilomètres de son point de départ, et deux charretiers ronflaient près de son cadavre.

C'était tout! Sur l'ordre du juge, on allait placer les deux corps dans une glacière de l'institut médico-légal!

Le *Southern Cross* venait de partir vers le Midi, vers Porquerolles, vers *le Petit Langoustier* qui avait vu tant d'orgies.

Maigret, tête basse, contournait les bâtiments du *Café de la Marine*. Il repoussa une oie furieuse qui avançait vers lui, son bec ouvert dans un râle de colère.

A la porte de l'écurie, il n'y avait pas de serrure, mais un simple loquet de bois. Et le chien de chasse qui rôdait dans la cour, la panse trop nourrie, se jetait en tournoyant de joie au-devant de tous les visiteurs.

La porte ouverte, le commissaire se trouva en tête à tête avec le cheval gris du propriétaire qui n'était pas plus attaché que les autres jours et qui profita de l'occasion pour aller se promener dehors.

La jument couronnée était toujours couchée dans son box, l'œil triste.

Maigret poussait la paille du pied, comme s'il eût espéré trouver quelque chose qui eût échappé à son premier examen des lieux.

A deux ou trois reprises, il répéta avec mauvaise humeur :

Autant !..

Et il était presque décidé à retourner à

Meaux, voire à Paris, à refaire pas à pas le chemin parcouru par le *Southern Cross*.

Il traînait de tout : de vieilles longes, des morceaux de harnais, un bout de bougie, une pipe cassée...

De loin, il vit quelque chose de blanc qui dépassait d'un tas de foin et il s'approcha sans confiance. L'instant d'après, il avait à la main un calot de marine américain pareil à ceux de Vladimir.

Le tissu était souillé de boue et de fumier, déformé comme si on l'eût tiraillé dans tous les sens.

Mais c'est en vain qu'aux alentours Maigret chercha un autre indice. De la paille fraîche avait été jetée à l'endroit où l'on avait découvert le corps afin que ce fût moins sinistre.

— *Est-ce que je suis prisonnier ?*

Il n'eût pu dire pourquoi cette phrase du colonel lui revenait à la mémoire, tandis qu'il marchait vers la porte de l'écurie. En même temps il revoyait sir Lampson, à la fois aristocratique et dégradé, avec ses gros yeux toujours humides, son ivresse latente, son flegme étonnant.

Il évoquait son court dialogue avec le magistrat guindé, dans cette salle d'auberge aux tables couvertes de toile cirée brune que la magie de quelques intonations, de quelques attitudes, avait transformée un moment en salon.

Et il tripotait ce bonnet, méfiant, le regard sournois.

— Soyez prudent! lui avait dit M. de Clairfontaine de Lagny en lui touchant la main.

L'oie, féroce, suivait à la piste le cheval qu'elle agonisait d'injures. Et l'autre laissait pendre sa grosse tête, reniflait les détritus qui encombraient la cour.

De chaque côté de la porte il y avait une borne de pierre et le commissaire s'assit sur l'une d'elles, sans lâcher le béret ni sa pipe éteinte.

Devant lui il n'y avait qu'un énorme tas de fumier, puis une haie trouée par endroits et, au-delà, des champs où il ne poussait encore rien, la colline aux traînées noires et blanches sur laquelle semblait peser de tout son poids un nuage dont le centre était tout noir.

D'un bord jaillissait un rayon de soleil oblique, qui mettait des étincelles sur le fumier.

— *Une charmante femme...* avait dit le colonel en parlant de Mary Lampson.

— *Un vrai gentleman!* avait dit Willy du colonel.

Seul Vladimir n'avait rien dit, s'était contenté d'aller et venir, d'acheter des provisions, de l'essence, de remplir les réservoirs d'eau potable, d'écoper le youyou et d'aider son maître à s'habiller.

Des Flamands passaient sur la route en

parlant haut. Soudain Maigret se pencha. La cour était pavée de pierres inégales. Or, à deux mètres de lui, entre deux d'entre elles, quelque chose venait d'être atteint par le soleil et brillait.

C'était un bouton de manchette en or, traversé par deux filets de platine, Maigret avait vu des boutons pareils, la veille, aux poignets de Willy, alors que le jeune homme était étendu sur son lit, lançait vers le plafond la fumée de ses cigarettes et discourait avec nonchalance.

Dès lors, il ne s'occupa plus du cheval, ni de l'oie, ni de rien de ce qui l'entourait. Un peu plus tard, il tournait la manivelle du téléphone.

— Épernay... La morgue, oui!... Police!...

Un des Flamands, qui sortait du café, s'arrêta pour le regarder avec étonnement, tant il était animé.

— Allô!... Ici le commissaire Maigret, de la P.J... On vient de vous amener un corps... Mais non! il ne s'agit pas de l'accident d'auto... Le noyé de Dizy... Oui... Voyez tout de suite au greffe, parmi ses effets... Vous devez trouver un bouton de manchette... Vous me direz comment il est... J'attends, oui!...

Trois minutes après, il raccrochait, renseigné, tenant toujours à la main le béret et le bouton.

— Votre déjeuner est prêt...

Il ne se donna pas la peine de répondre à la fille rousse qui lui disait pourtant cela aussi gentiment que possible. Il sortit, avec la sensation qu'il tenait peut-être un bout du fil, mais aussi avec l'angoisse de le lâcher.

— Le béret dans l'écurie... Le bouton de manchette dans la cour... Et l'insigne de l'Y.C.F. près du pont de pierre...

C'est dans cette direction qu'il se mit à marcher très vite. Des raisonnements s'esquissaient et fondaient tour à tour dans son esprit.

Il n'avait pas parcouru un kilomètre qu'il regardait devant lui avec stupeur.

Le *Southern Cross,* parti une bonne heure plus tôt d'un air pressé, était amarré à droite du pont, dans les roseaux. On ne voyait personne dehors.

Mais, quand le commissaire n'en fut plus qu'à une centaine de mètres, sur l'autre rive, une auto arrivant d'Épernay stoppa près du yacht et Vladimir, toujours en tenue de matelot, assis à côté du chauffeur, sauta à terre, se dirigea vers le bateau en courant.

Il ne l'avait pas atteint que l'écoutille s'ouvrait et que le colonel se montrait le premier sur le pont, tendait la main à quelqu'un se trouvant à l'intérieur.

Maigret ne se cachait pas. Il ne put savoir si le colonel le vit ou non.

La scène fut rapide. Le commissaire n'entendait pas les paroles prononcées. Mais les mouvements des personnages lui donnèrent une idée assez précise de ce qui se passait.

C'était la Negretti que sir Lampson aidait à sortir de la cabine. Pour la première fois, on la voyait en tenue de ville. Même de loin, on comprenait qu'elle était en colère.

Vladimir avait saisi deux valises qui étaient prêtes et les portait dans la voiture.

Le capitaine tendit la main à sa compagne pour traverser la passerelle, mais elle refusa, s'élança si brusquement qu'elle faillit tomber tête première dans les roseaux.

Et elle marcha sans l'attendre. Il la suivait à quelques pas, impassible. Elle se jeta dans l'auto avec la même rage, montra un instant sa tête animée à la portière, cria quelque chose qui devait être une injure ou une menace.

Sir Lampson, pourtant, au moment où la voiture se mettait en route, s'inclinait galamment, la regardait s'éloigner et revenait vers son bateau en compagnie de Vladimir.

Maigret n'avait pas bougé. Il eut la sensation très nette d'un changement qui se produisait chez l'Anglais.

Il ne souriait pas. Il restait aussi flegmatique qu'à son ordinaire. Mais, par exemple, au moment de gagner la cabine de commandement, il toucha, tout en parlant, d'un geste cordial, voire affectueux, l'épaule de Vladimir.

Et la manœuvre fut magnifique. Il n'y avait plus que les deux hommes à bord. Le Russe amena la passerelle, d'un seul effort, fit sauter la boucle des amarres.

L'avant du *Southern Cross* était engagé dans les roseaux. Une péniche arrivait derrière, cornait.

Lampson se retourna. Il dut presque fatalement voir Maigret, mais il n'en laissa rien paraître. D'une main, il embraya. De l'autre, il donna deux tours à la roue de cuivre et le yacht glissa en arrière, juste de quoi se dégager, évita l'étrave de la péniche, stoppa à temps et repartit en laissant derrière lui un bouillonnement d'écume.

Il n'avait pas fait cent mètres qu'il lançait trois coups de sirène pour avertir l'écluse d'Ay de son arrivée.

***

— Ne perdez pas de temps... Suivez la route... Si c'est possible, rejoignez cette voiture.

Maigret avait arrêté la camionnette d'un boulanger qui passait dans la direction d'Épernay. On apercevait l'auto occupée par la Negretti à un kilomètre à peu près, mais elle roulait assez lentement, car le macadam était gras, glissant.

Dès que le commissaire avait décliné son titre, le livreur l'avait regardé avec une curiosité amusée.

— Vous savez, il ne me faudrait pas cinq minutes pour les rattraper...

— Pas trop vite...

Et c'était au tour de Maigret de sourire en voyant son compagnon prendre des poses qu'on voit aux poursuivants dans les films policiers américains.

Il n'y eut aucune manœuvre périlleuse à faire, aucune difficulté à surmonter. Dans une des premières rues de la ville, la voiture stoppa quelques instants, sans doute pour permettre à la voyageuse de conférer avec le chauffeur, puis elle repartit, s'arrêta trois minutes plus tard devant un hôtel assez luxueux.

Maigret quitta sa camionnette à cent mètres de là, remercia le boulanger qui ne voulut pas accepter de pourboire, mais qui, bien décidé à en voir davantage, alla se ranger à proximité de l'hôtel.

Un chasseur transporta les deux valises. Gloria Negretti traversa vivement le trottoir.

Dix minutes plus tard, le commissaire se présentait au gérant.

— La dame qui vient d'arriver?...

— Chambre 9... Je me suis douté qu'il y avait quelque chose... Je n'ai jamais vu quelqu'un d'aussi agité... Elle parlait avec une vitesse folle, en truffant son discours de mots étrangers... J'ai cru comprendre qu'elle ne voulait pas être dérangée et qu'on devait lui monter des cigarettes et du kummel... Il n'y aura pas de scandale, au moins?

— Rien du tout! affirma Maigret. Un renseignement à lui demander...

Il ne put s'empêcher de sourire en approchant de la porte marquée du numéro 9. Car il y avait dans la chambre un véritable vacarme. Les hauts talons de la jeune femme frappaient le parquet à une cadence désordonnée.

Elle allait et venait en tous sens. On l'entendait fermer la fenêtre, bousculer une valise, faire couler l'eau d'un robinet, se jeter sur le lit, se lever et envoyer enfin promener un soulier à l'autre bout de la pièce.

Maigret frappa.

— Entrez!...

Et la voix vibrait de colère, d'impatience. La Negretti n'était pas là depuis dix minutes et pourtant elle avait eu le temps de changer de tenue, de mettre ses cheveux en désordre et de reprendre en somme, en plus déjeté, l'aspect qu'elle avait à bord du *Southern Cross*.

Quand elle reconnut le commissaire, il y eut un éclair de colère dans ses yeux bruns.

— Qu'est-ce que vous me voulez?... Que venez-vous faire ici?... Je suis chez moi!... Je paie cette chambre et...

Elle continua en langue étrangère, sans doute en espagnol, déboucha un flacon d'eau de Cologne dont elle se versa la plus grande partie sur les mains avant d'en humecter son front brûlant.

— Vous me permettez une question?...

— J'ai dit que je ne voulais voir personne... Partez!... Vous entendez?...

Elle marchait sur ses bas de soie et sans doute n'avait-elle pas de jarretières, car ils commençaient à glisser le long de ses jambes, dévoilant déjà un genou empâté et très blanc.

— Vous feriez mieux de poser vos questions à ceux qui pourraient y répondre... Mais vous n'osez pas, hein!... Parce qu'il est colonel... Parce que c'est *sir* Lampson... Un joli *sir*... Ha! ha! si seulement je racontais la moitié de ce que je sais...

« Tenez!...

Elle fouilla fébrilement son sac dont elle tira cinq billets de mille francs chiffonnés.

— Voilà ce qu'il vient de me donner!... Et il y a deux ans, n'est-ce pas? que je vis avec lui, que...

Elle jeta les billets sur le tapis puis, se ravisant, les ramassa, les remit dans le sac.

— Naturellement, il a promis de m'envoyer un chèque... Mais on sait ce qu'elles valent, ses promesses... Un chèque?... Il n'aura pas seulement assez d'argent pour aller jusqu'à Porquerolles... N'empêche qu'il se saoulera au whisky tous les jours...

Elle ne pleurait pas et pourtant il y avait des

larmes dans sa voix. C'était une agitation toute spéciale que celle de cette femme que Maigret avait toujours vue confite dans une paresse béate, dans une atmosphère de serre chaude.

— C'est comme son Vladimir... Il a osé me dire, en essayant de me baiser la main :

« — Adieu madame...

« Ah! ha!... Ils ont ce toupet... Mais quand le colonel n'était pas là, Vladimir...

« Cela ne vous regarde pas!... Pourquoi restez-vous ici?... Qu'est-ce que vous attendez? Est-ce que vous espérez que je vais vous dire quelque chose?

« Rien du tout!...

« Et pourtant, avouez que ce serait mon droit...

Elle circulait toujours, saisissait des objets dans sa valise, les posait quelque part pour les reprendre ensuite et les placer ailleurs.

— Me laisser à Épernay!... Dans ce sale trou pluvieux... Je l'ai supplié de me conduire au moins à Nice, où j'ai des amis... C'est à cause de lui que je les ai quittés...

« Il est vrai que je devrais être contente qu'il ne m'ait pas tuée...

« Je ne dirai rien, vous entendez!... Vous pouvez partir... La police me dégoûte!... Autant que les Anglais!... Si vous en êtes capable, allez l'arrêter...

« Mais vous n'oserez pas!... Je sais si bien comment cela se passe...

« Pauvre Mary!... Elle était ce que l'on voudra. Bien sûr qu'elle avait mauvais caractère, qu'elle aurait tout fait pour ce Willy que je n'ai jamais pu sentir...

« Mais mourir ainsi...

« Ils sont partis?... Qui allez-vous arrêter, en fin de compte?.. Peut-être moi, au fait?... Non?...

« Eh bien! écoutez... Je vais vous dire une chose, oui!... Une seule!... Vous en ferez ce que vous voudrez... Ce matin, quand il s'habillait pour se présenter au juge — car il faut qu'il impressionne les gens, qu'il sorte ses insignes, ses décorations! — quand il s'habillait, Walter a dit à Vladimir, en russe, parce qu'il croit que je ne comprends pas cette langue...

Elle parlait si vite qu'elle finissait par manquer de souffle, s'embrouillait dans ses phrases, y mêlait à nouveau des termes espagnols.

— Il lui a dit d'essayer de savoir où se trouve *la Providence*... Comprenez-vous?... C'est un bateau qui était près de nous, à Meaux...

« Ils veulent le rejoindre et ils ont peur de moi...

« J'ai fait semblant de ne pas entendre...

« Mais je sais si bien que vous n'oserez pas...

Elle regarda ses valises bouleversées, la chambre qu'en quelques minutes elle était parvenue à mettre en désordre et à imprégner de son âpre parfum...

— Est-ce que vous avez seulement des cigarettes?... Qu'est-ce que cet hôtel?... J'en ai commandé, et du kummel...

— Vous avez vu, à Meaux, le colonel en conversation avec quelqu'un de *la Providence?*

— Je n'ai rien vu du tout... Je ne m'occupais pas de ça... J'ai seulement entendu, ce matin... Pourquoi s'inquiéteraient-ils d'une péniche, autrement?... Est-ce qu'on sait seulement comment est morte la première femme de Walter, aux Indes?... Si l'autre a divorcé, c'est qu'elle avait ses raisons...

Un garçon frappait, apportant cigarettes et liqueur. La Negretti prit le paquet et l'envoya rouler dans le couloir en criant :

— J'ai dit des *Abdullah!*

— Mais, madame...

Elle joignit les mains d'un geste qui laissait prévoir la crise de nerfs et râla :

— Oh!... Ces gens!... Ces...

Elle se tourna vers Maigret qui l'examinait avec intérêt, lui lança :

— Qu'est-ce que vous attendez encore?... Je ne dirai plus rien! Je ne sais rien! Je n'ai rien dit... Vous entendez?... Je ne veux pas qu'on m'ennuie avec cette histoire!... C'est déjà assez malheureux que j'aie perdu deux ans de ma vie à...

Le garçon, en se retirant, lança une œillade au commissaire. Et tandis que la jeune femme se jetait sur son lit, à bout de nerfs, il sortit à son tour.

Dans la rue, le boulanger attendait toujours.

— Eh bien? Vous ne l'avez pas arrêtée? questionna-t-il, dépité. Je croyais...

Maigret dut marcher jusqu'à la gare pour trouver un taxi et se faire reconduire au pont de pierre.

7

LA PÉDALE FAUSSÉE

QUAND le commissaire dépassa le *Southern Cross* qui, de ses remous, agitait les roseaux longtemps encore après son passage, le colonel était toujours à la barre et, à l'avant, Vladimir lovait un filin.

Maigret attendit le yacht à l'écluse d'Aigny. La manœuvre s'effectua correctement et, le bateau amarré, le Russe descendit à terre pour remettre ses papiers et un pourboire à l'éclusier.

— Ce bonnet est bien à vous? questionna le policier en s'avançant vers lui.

Vladimir examina l'objet, qui n'était plus qu'un chiffon sale, puis son inerlocuteur.

— Merci! dit-il enfin en prenant le béret.

— Un instant! Voulez-vous me dire quand vous l'avez perdu?

Le colonel suivait la scène des yeux, sans trahir la plus légère émotion.

— Il est tombé à l'eau hier au soir, expliqua Vladimir, alors que, penché sur l'étambot, je retirais avec une gaffe des herbes qui bloquaient l'hélice... Il y avait une péniche derrière nous... La femme, à genoux dans le bachot, rinçait son linge... C'est elle qui a repêché le béret et je l'ai laissé sur le pont pour qu'il sèche...

— Autrement dit, il était cette nuit sur le pont?

— Oui... Ce matin, je n'ai pas remarqué qu'il ne s'y trouvait plus...

— Il était déjà sale hier?

— Non! La marinière, en le repêchant, l'a passé dans la savonnée dont elle se servait...

Le yacht s'élevait par saccades et déjà l'éclusier tenait à deux mains la manivelle de la porte d'amont.

— Si je me souviens bien, c'était le *Phénix* qui était derrière vous, n'est-ce pas?

— Je crois... Je ne l'ai pas revu aujourd'hui...

Maigret esquissa un vague salut, se dirigea vers son vélo tandis que le colonel, impassible, embrayait le moteur, inclinait la tête en passant devant l'éclusier.

Le commissaire resta un bon moment à le regarder partir, rêveur, troublé par l'étonnante simplicité avec laquelle les choses se passaient à bord du *Southern Cross*.

Le yacht poursuivait sa route sans s'inquiéter de lui. C'est à peine si, de son poste, le colonel posait une question au Russe, qui répondait d'une seule phrase.

— Le *Phénix* est loin? s'informa Maigret.

— Peut-être dans le bief de Juvigny, à cinq kilomètres d'ici... Ça ne file pas comme ce machin-là...

Maigret y arriva quelques instants avant le *Southern Cross* et Vladimir dut le voir, de loin, questionner la marinière.

Les détails étaient exacts. La veille, tandis qu'elle rinçait son linge, qu'on apercevait, gonflé par le vent, sur un fil de fer tendu au-dessus de la péniche, elle avait repêché le béret du matelot. Celui-ci, un peu plus tard, avait donné deux francs à son gamin.

Il était deux heures de l'après-midi. Le commissaire se remit en selle, la tête lourde d'hypothèses confuses. Il y avait du gravier sur le chemin de halage et les pneus le faisaient crisser, envoyaient de petits cailloux des deux côtés des roues.

A l'écluse 9, Maigret avait une bonne avance sur l'Anglais.

— Vous pouvez me dire où se trouve à ce moment *la Providence?*

— Pas loin de Vitry-le-François. Ils vont bon train, car ils ont de rudes bêtes, et surtout un charretier qui ne regarde pas à sa peine...

— Ils ont l'air de se presser?

— Ni plus ni moins que d'habitude... Sur le canal, n'est-ce pas? on est toujours pressé... On ne sait jamais ce qui vous attend... On peut perdre des heures à une seule écluse comme on peut passer en dix minutes... Et plus vite on va, plus on gagne...

— Vous n'avez rien entendu d'anormal, cette nuit?

— Rien!... Pourquoi?... Il y a eu quelque chose?...

Maigret partit sans répondre, s'arrêta désormais à chaque écluse, à chaque bateau.

Il n'avait pas eu de peine à juger Gloria Negretti. Tout en se défendant de dire quoi que ce fût contre le colonel, elle avait sorti en réalité tout ce qu'elle savait.

Car elle était incapable de se contenir! Incapable de mentir aussi! Ou alors, elle eût inventé des choses infiniment plus compliquées.

Elle avait donc entendu sir Lampson prier Vladimir de s'informer de *la Providence*.

Or, le commissaire s'était préoccupé, lui aussi, de cette péniche qui était arrivée le dimanche soir, peu avant la mort de Mary Lampson, venant de Meaux, et qui, construite en bois, était enduite de résine.

Pourquoi le colonel voulait-il la rejoindre? Quel lien y avait-il entre le *Southern Cross* et le lourd bateau qui s'en allait au pas lent de ses deux chevaux?

Tout en roulant dans le décor monotone du canal et en appuyant avec de plus en plus de peine sur les pédales, Maigret ébauchait des raisonnements, mais ils ne l'amenaient qu'à des conclusions fragmentaires ou inacceptables.

L'histoire des trois indices, pourtant, ne se trouvait-elle pas éclairée par la rageuse accusation de la Negretti?

Dix fois Maigret avait essayé de reconstituer les allées et venues des personnages au cours de cette nuit sur laquelle on ne savait rien, sinon que Willy Marco était mort.

Chaque fois, il avait senti une fissure; il avait eu l'impression qu'il manquait un personnage, qui n'était ni le colonel, ni le mort, ni Vladimir...

Or, le *Southern Cross* allait maintenant retrouver quelqu'un à bord de *la Providence*.

Quelqu'un qui, de toute évidence, était mêlé aux événements! Ne pouvait-on pas supposer que ce quelqu'un avait participé au second drame, c'est-à-dire au meurtre de Willy, tout comme au premier?

Les distances sont vite franchies, la nuit, en vélo par exemple, le long d'un chemin de halage.

— Vous n'avez rien entendu, cette nuit?... Vous n'avez rien remarqué d'anormal à bord de *la Providence* quand elle est passée?

C'était de la vilaine besogne, décevante, surtout dans l'espèce de crachin qui tombait des nuages bas.

— Rien...

L'espace augmentait entre Maigret et le *Southern Cross,* qui perdait un minimum de vingt minutes par écluse. Le commissaire remontait toujours plus lourdement sur sa machine, reprenait obstinément, dans la solitude d'un bief, un des fils de son raisonnement.

Il avait déjà parcouru quarante kilomètres quand l'éclusier de Sarry répondit à sa question.

— Mon chien a aboyé... Je crois bien qu'il est passé quelque chose sur la route... Peut-être un lapin?... Je me suis rendormi tout de suite...

— Vous savez où a couché *la Providence?*

Son interlocuteur fit un calcul mental.

— Attendez! Cela ne m'étonnerait pas qu'elle soit allée jusqu'à Pogny... Le patron voulait être ce soir à Vitry-le-François...

Deux écluses encore! Rien! Maigret devait suivre les éclusiers sur les portes, car, à mesure qu'il avançait, le trafic était plus intense. A Vésigneul, trois bateaux attendaient leur tour. A Pogny, ils étaient cinq.

— Du bruit, non! grogna le préposé à cette dernière écluse. Mais je voudrais bien savoir qui a eu le culot de se servir de mon vélo...

Le commissaire s'épongea en entrevoyant enfin un semblant de but. Il avait le souffle court et chaud. Il venait de parcourir cinquante kilomètres sans même boire un verre de bière.

— Où est votre bicyclette?

— Tu ouvriras les vannes, François? cria l'éclusier à un charretier.

Et il entraîna Maigret vers sa maison. Dans la

cuisine, qui ouvrait de plain-pied, des mariniers avalaient du vin blanc qu'une femme leur servait sans lâcher son bébé.

— Vous n'allez pas faire un rapport, au moins? C'est défendu de vendre à boire... Mais tout le monde le fait... C'est plutôt pour rendre service... Tenez!

Il désigna une cabane en planches adossée à la muraille. Il n'y avait pas de porte.

— Voici le vélo... C'est celui de ma femme... Pensez qu'il faut aller à quatre kilomètres d'ici pour trouver une épicerie... Je lui dis toujours de rentrer la machine pour la nuit, mais elle prétend que ça salit la maison... Remarquez que celui qui s'en est servi est un drôle de bonhomme... J'aurais pu ne m'apercevoir de rien...

« Justement, avant-hier, mon neveu, qui est mécanicien à Reims, est venu passer la journée... La chaîne était cassée... Il l'a réparée et il en a profité pour nettoyer le vélo à fond et le graisser.

« Hier, on ne s'en est pas servi... On avait remis aussi un pneu neuf à l'arrière...

« Eh bien! ce matin, la bécane était propre, bien qu'il ait plu toute la nuit... Vous avez vu la boue sur le chemin...

« Seulement la pédale de gauche est faussée et le pneu porte des traces comme s'il avait fait au moins cent kilomètres...

« Est-ce que vous y comprenez quelque

chose?... Le vélo a roulé, c'est sûr!... Et celui qui l'a ramené a pris la peine de le nettoyer...

— Quels sont les bateaux qui ont couché à proximité?

— Attendez!... *La Madeleine* a dû aller à La Chaussée, où le beau-frère du patron est bistrot... *La Miséricorde* a couché en dessous de mon écluse...

— Venant de Dizy?

— Non! C'est un *avalant,* qui arrive de la Saône... Je ne vois que *la Providence...* Elle est passée hier à sept heures du soir... Elle est allée jusqu'à Omey, à deux kilomètres, où il y a un bon port...

— Vous avez un autre vélo?

— Non... Mais on peut se servir de celui-ci quand même...

— Pardon! Vous allez l'enfermer quelque part... Vous en louerez un autre si c'est nécessaire... Je compte sur vous?

Les mariniers sortaient de la cuisine et l'un d'eux lançait à l'éclusier :

— C'est ainsi que tu régales, Désiré?...

— Un instant... Je suis avec monsieur...

— Où croyez-vous que je puisse rattraper *la Providence?*

— Ben! il va encore bon train... Cela m'étonnerait si vous l'aviez avant Vitry...

Maigret allait partir. Il revint sur ses pas, tira

une clef anglaise de sa trousse et démonta les deux pédales du vélo de l'éclusière.

Quand il poursuivit sa route, les pédales qu'il avait enfouies dans ses poches faisaient deux bosses à son veston.

***

L'éclusier de Dizy lui avait dit en plaisantant :

— Quand il ne pleut nulle part ailleurs, il y a au moins deux endroits où l'on est sûr de voir tomber de l'eau : c'est ici et à Vitry-le-François...

Maigret approchait de cette ville et il commençait à pleuvoir à nouveau : une pluie toute fine, paresseuse, éternelle.

L'aspect du canal changeait. Sur les rives se dressaient des usines et longtemps le commissaire roula au milieu d'un essaim d'ouvrières qui sortaient de l'une d'elles.

Un peu partout, il y avait des bateaux en déchargement, d'autres, en vidange, qui attendaient.

Et l'on revoyait des petites maisons de faubourg, avec des clapiers faits de vieilles caisses, des jardins pitoyables.

Tous les kilomètres une fabrique de ciment, ou une carrière, ou un four à chaux. Et la pluie mêlait la poudre blanche éparse dans l'atmosphère à la boue du chemin. Le ciment ternissait tout : les toits de tuiles, les pommiers et les herbes.

Maigret commençait à adopter le mouvement de droite à gauche et de gauche à droite du cycliste fatigué. Il pensait sans penser. Il mettait bout à bout des idées qu'il n'était pas encore possible de rassembler en un faisceau solide.

Quand il aperçut l'écluse de Vitry-le-François, la nuit tombait, piquetée des fanaux blancs d'une soixantaine de bateaux en file indienne.

Quelques-uns dépassaient les autres, se mettaient en travers. Et quand il en arrivait en sens inverse, on entendait des cris, des jurons, des renseignements lancés à la volée.

— Hé !... *Le Simoun !*... Ta belle-sœur, qui était à Chalon-sur-Saône, te fait dire qu'elle te retrouvera sur le canal de Bourgogne... On attendra pour le baptême... Des amitiés de Pierre !...

Sur les portes de l'écluse, il y avait dix silhouettes affairées.

Et par-dessus tout, un brouillard bleuâtre, pluvieux, dans lequel on distinguait les silhouettes des chevaux arrêtés, des hommes qui allaient d'un bateau à l'autre.

Maigret lisait les noms, à l'arrière des péniches. Une voix lui cria :

— Bonjour, monsieur !...

Il mit quelques secondes à reconnaître le patron de *l'Eco III*.

— Déjà réparé?

— Ce n'était rien du tout!... Mon commis est un imbécile... Le mécanicien, qui est venu de Reims, en a eu pour cinq minutes...

— Vous n'avez pas vu *la Providence?*

— Elle est devant... Mais nous passerons encore avant elle... A cause de l'embouteillage, on va écluser toute la nuit, et peut-être bien la nuit prochaine... Penser qu'il y a au moins soixante bateaux et qu'il en arrive encore... En principe, les moteurs ont le droit de trématage sur les écuries... Cette fois-ci, l'ingénieur a décidé qu'on écluserait alternativement une péniche à chevaux et un bateau à moteur...

Et l'homme, sympathique, le visage ouvert, de tendre le bras.

— Tenez!... Juste en face de la grue... Je reconnais son gouvernail peint en blanc...

En passant devant les péniches, on devinait, par les écoutilles, des gens qui mangeaient dans la lueur jaune de lampes à pétrole.

Maigret trouva le patron de *la Providence* sur le quai, en grande discussion avec d'autres mariniers.

— Bien sûr que les moteurs ne devraient pas avoir plus de droits!... Pour prendre l'exemple de *la Marie,* nous lui gagnons un kilomètre dans un bief de cinq... Alors?... Avec ce système de trématage, elle va nous passer devant... Tiens!... C'est le commissaire!...

Et le petit homme tendait sa main, comme à un camarade.

— Vous voici encore avec nous?... La patronne est à bord... Elle va être contente de vous revoir, car elle dit que, pour un policier, vous êtes un homme bien comme il faut...

Dans l'obscurité, on voyait luire le bout rouge des cigarettes et tous les fanaux si proches les uns des autres qu'on se demandait comment les bateaux pouvaient encore circuler.

Maigret trouva la grosse Bruxelloise qui passait sa soupe et qui s'essuya la main à son tablier avant de la lui tendre.

— Vous n'avez pas trouvé l'assassin?

— Hélas!... Je viens encore vous demander quelques renseignements...

— Asseyez-vous... Une petite goutte?...

— Merci!...

— Merci oui!... Allons! Par un temps pareil, ça ne fait de mal à personne... Vous n'êtes pas venu en vélo de Dizy, au moins?

— De Dizy, oui!...

— Mais il y a soixante-huit kilomètres!...

— Votre charretier est ici?

— Il doit être sur l'écluse, à discuter... On veut nous prendre notre tour et ce n'est pas le moment de nous laisser faire, car on a déjà perdu assez de temps...

— Il a une bicyclette?

— Qui, Jean?... Non!...

Elle rit. Elle expliqua, tout en reprenant son travail :

— Je ne le vois pas bien en vélo, avec ses petites jambes... Mon mari en a un... Mais il y a bien un an qu'il ne s'en est pas servi et je crois que les pneus sont crevés...

— Vous avez passé la nuit à Omey?

— C'est cela! On essaie toujours de s'amarrer à un endroit où l'on puisse faire les provisions... Parce que si, pendant la journée, on a le malheur de s'arrêter, il y a toujours d'autres bateaux qui vous passent devant...

— A quelle heure y êtes-vous arrivés?

— A peu près à l'heure qu'il est maintenant... On s'occupe plus du soleil que de l'heure, vous comprenez?... Encore une petite goutte?... C'est du genièvre que nous rapportons de Belgique à chaque voyage...

— Vous êtes allée à l'épicerie?

— Oui, pendant que les hommes prenaient l'apéritif... Il devait être un peu plus de huit heures quand on s'est couché...

— Jean était à l'écurie?

— Où aurait-il été?... Il n'y a qu'avec ses bêtes qu'il se trouve bien...

— Vous n'avez pas entendu de bruit pendant la nuit?

Rien du tout... A trois heures, comme d'habitude, Jean est venu préparer le café... C'est l'habitude... Puis nous sommes partis...

— Vous n'avez rien remarqué d'anormal?

— Que voulez-vous dire?... Vous ne soupçonnez pas le vieux Jean, au moins?... Vous savez, il a l'air drôle, comme ça, quand on ne le connaît pas... Nous, voilà huit ans que nous sommes avec lui... Eh bien! s'il s'en allait, *la Providence* ne serait plus ce qu'elle est...

— Votre mari dort avec vous?

Elle rit encore. Et, comme Maigret était près d'elle, elle lui donna un coup de coude dans les côtes.

— Dites donc! Est-ce qu'on a l'air si vieux que ça?...

— Je puis aller faire un tour à l'écurie?

— Si vous voulez... Prenez la lanterne qui est sur le pont... Les chevaux sont restés dehors, parce qu'on espère passer quand même cette nuit... Et, une fois à Vitry, nous sommes tranquilles... La plupart des bateaux prennent le canal de la Marne au Rhin... Vers la Saône, c'est plus calme... A part la voûte de huit kilomètres qui me fait toujours peur...

Maigret se dirigea tout seul vers le milieu de la péniche, où se dressait l'écurie. Saisissant la lanterne-tempête qui servait de fanal, il se glissa dans le domaine de Jean, tout imprégné d'une chaude odeur de fumier et de cuir.

Mais c'est en vain qu'il y pataugea pendant près d'un quart d'heure, sans cesser d'entendre la conversation qui se poursuivait sur le quai entre le patron de *la Providence* et les mariniers.

Quand il arriva un peu plus tard à l'écluse où, pour regagner le retard, tout le monde travaillait à la fois dans le vacarme de manivelles rouillées et d'eau bouillonnante, il aperçut le charretier sur une des portes, son fouet en collier autour de la nuque, manœuvrant une vanne.

Il était vêtu, comme à Dizy, d'un vieux complet de velours à côtes, coiffé d'un feutre passé qui avait perdu son ruban depuis longtemps.

Une péniche sortit du sas, se poussant à la gaffe, car il était impossible d'avancer autrement parmi tous les bateaux agglutinés.

Les voix qui se répondaient d'une péniche à l'autre étaient rauques, hargneuses, et les visages, qu'éclairait parfois un feu, profondément marqués par la fatigue.

Tous ces gens étaient en route depuis trois ou quatre heures du matin, ne rêvaient qu'à la soupe, puis au lit sur lequel on s'abattrait enfin.

Mais chacun voulait franchir d'abord l'écluse encombrée, afin de commencer dans de bonnes conditions l'étape du lendemain.

L'éclusier allait et venait, happait au vol les papiers de l'un et de l'autre, courait dans son bureau où il signait, apposait le cachet, enfouissait les pourboires dans sa poche.

– Pardon !...

Maigret avait touché le bras du charretier, qui se retourna lentement, le regarda de ses yeux à peine visibles derrière l'épais buisson des sourcils.

— Vous avez d'autres bottes que celles que vous portez?

Jean n'eut pas l'air de comprendre tout de suite. Son visage se plissa davantage. Il fixa ses pieds avec ahurissement.

Enfin il secoua la tête, tira sa pipe de sa bouche, murmura seulement :

— D'autres?...

— Vous n'avez que ces chaussures-là?

Un signe affirmatif, très lent, de la tête.

— Vous savez monter en vélo?

Des gens se rapprochaient, intrigués par ce colloque.

— Venez par ici!... dit Maigret... J'ai besoin de vous...

Le charretier le suivit dans la direction de *la Providence,* amarrée à près de deux cents mètres. En passant devant ses chevaux, qui se tenaient tête basse, le dos luisant, sous la pluie, il caressa l'encolure du plus proche.

— Montez...

Le patron, tout petit, tout maigre, était arc-bouté à une gaffe plantée au fond de l'eau et poussait son bateau contre la rive pour permettre à une péniche avalante de passer.

Il vit de loin les deux hommes qui pénétraient

dans l'écurie, mais il n'eut pas le temps de s'en occuper.

— Vous avez dormi ici cette nuit?

Un grognement, qui signifiait oui.

— Toute la nuit? Vous n'avez pas emprunté un vélo à l'éclusier de Pogny?...

Le charretier avait l'air malheureux d'un simple d'esprit que l'on taquine ou d'un chien qui n'a jamais reçu de coups et qu'on s'avise soudain de battre sans raison.

De la main, il repoussa son chapeau en arrière, frotta son crâne planté de cheveux blancs et durs comme des crins.

— Retirez vos bottes...

L'homme ne bougea pas, jeta un regard à la rive où l'on apercevait les jambes des chevaux. L'un d'eux hennissait, comme s'il eût compris que le charretier était dans l'embarras.

— Vos bottes... Vite!

Et, joignant le geste à la parole, Maigret fit asseoir Jean sur une planche qui courait le long d'une des parois de l'écurie.

Alors seulement le vieux devint docile et, regardant son bourreau avec des yeux de reproche, il se mit en devoir de retirer une de ses bottes.

Il ne portait pas de chaussettes, mais des bandes de toile graissée au suif étaient enroulées autour de ses pieds et de ses chevilles et faisaient corps avec la peau.

La lanterne éclairait mal. Le patron, qui avait terminé sa manœuvre, vint s'accroupir sur le pont pour voir ce qui se passait dans l'écurie.

Tandis que Jean, grognon, le front dur, mauvais, soulevait la seconde jambe, Maigret nettoyait avec de la paille la semelle de la botte qu'il avait à la main.

Puis il sortait la pédale gauche de sa poche, l'appliquait à la chaussure.

C'était un spectacle étrange que celui du vieillard hébété qui contemplait ses pieds déchaussés. Son pantalon, qui avait dû être fait pour un homme plus petit que lui encore, ou qui avait été recoupé, n'arrivait qu'à mi-jambe.

Et les bandes de toile suiffée étaient noirâtres, criblées de brins de paille et de crasse.

Maigret, tout près de la lampe, confrontait la pédale, dont certaines dents étaient cassées, avec les traces à peine visibles sur le cuir.

— Vous avez pris, cette nuit, à Pogny, le vélo de l'éclusier! accusa-t-il lentement, sans quitter les deux objets des yeux. Jusqu'où êtes-vous allé de la sorte?

— Ohé!... *La Providence!...* Avancez!... *L'Étourneau* renonce à son tour et couche dans le bief...

Jean se tourna vers les gens qui s'agitaient dehors, puis vers le commissaire.

— Vous pouvez faire l'éclusée! dit Maigret. Tenez! Enfilez vos bottes...

Le patron maniait déjà la gaffe. La Bruxelloise accourait.

— Jean!... Les chevaux!... Si nous perdons notre tour...

Le charretier avait glissé ses jambes dans ses bottes, se hissait sur le pont, modulait curieusement :

— Ho! Hue!... hue!...

Et les chevaux, en s'ébrouant, se mettaient en marche, tandis qu'il sautait à terre, leur emboîtait le pas, pesamment, le fouet toujours sur les épaules.

— Ho!... Hue!...

La patronne, pendant que son mari poussait la gaffe, appuyait de tout son poids sur la barre afin d'éviter la péniche qui arrivait en sens inverse et dont on distinguait à peine l'avant arrondi, le halo du fanal installé à l'arrière.

La voix impatiente de l'éclusier criait :

— Alors... *La Providence?...* Pour quand est-ce?...

Elle glissait sans bruit sur l'eau noire. Mais elle heurta trois fois le mur de pierre avant de se faufiler dans l'écluse dont elle occupa toute la largeur.

8

SALLE 10

D'HABITUDE, on n'ouvre les quatre vannes d'une écluse que l'une après l'autre, petit à petit, afin d'éviter les remous qui pourraient casser les amarres du bateau.

Mais soixante péniches attendaient. Les mariniers dont le tour était proche aidaient à la manœuvre, tandis que l'éclusier n'avait plus qu'à viser les papiers.

Maigret était sur le quai, tenant son vélo d'une main, suivant des yeux les ombres qui s'agitaient dans l'obscurité. Les deux chevaux étaient allés s'arrêter à cinquante mètres des portes d'amont, d'eux-mêmes. Jean tournait une des manivelles.

L'eau s'engouffra avec un bruit de torrent. On pouvait la voir, toute blanche, dans les étroits espaces laissés libres par *la Madeleine*.

Or, au moment où la chute battait son plein, il y eut un cri étouffé, suivi d'un heurt sur l'avant de la péniche, puis d'un remue-ménage confus.

Le commissaire devina le drame plutôt qu'il le comprit. Le charretier n'était plus à sa place, sur la porte. Et les autres couraient le long des murs. On criait de tous les côtés à la fois.

Pour éclairer la scène, il n'y avait que deux lampes : une au milieu du pont-levis précédant l'écluse, l'autre sur la péniche qui continuait à s'élever à une cadence rapide.

— Fermez les vannes !...

— Ouvrez les portes !...

Quelqu'un passa avec une gaffe énorme qui heurta Maigret en pleine joue.

Des mariniers accouraient de loin. Et l'éclusier sortait de chez lui, affolé à l'idée de sa responsabilité.

— Qu'est-ce que c'est ?...

— Le vieux...

Des deux côtés de la péniche, il n'y avait pas, entre le bordé et le mur, plus de trente centimètres d'eau libre. Or cette eau, qui arrivait des vannes, glissait à toute vitesse dans l'étroit passage, revenait sur elle-même en bouillonnant.

Il y eut des manœuvres maladroites. Entre autres quelqu'un tourna une vanne de la porte d'aval et l'on entendit cette porte qui menaçait de sauter de ses gonds tandis que l'éclusier se précipitait pour réparer le mal.

Après, seulement, le commissaire apprit que le bief tout entier eût pu être inondé, cinquante péniches avariées.

— Tu le vois?...

— Il y a quelque chose de noir, là-bas...

La péniche montait toujours, plus lentement. Trois vannes sur quatre étaient refermées. Mais à chaque instant le bateau heurtait violemment le mur du sas, écrasant peut-être le charretier.

— Quelle profondeur?

— Au moins un mètre sous le bateau...

C'était épouvantable. A la faible lueur de la lanterne d'écurie, on voyait la Bruxelloise qui courait en tous sens, une bouée de sauvetage à la main.

Elle clama, en détresse :

— Je crois qu'il ne sait pas nager!...

Et Maigret entendit une voix grave qui disait près de lui :

— Tant mieux! Il aura moins souffert...

***

Cela dura un quart d'heure. Trois fois des gens crurent apercevoir un corps qui émergeait. Mais en vain enfonça-t-on des gaffes dans les directions désignées.

La Madeleine sortit lentement de l'écluse et un vieux charretier grommela :

— Tout ce que vous voulez qu'il est accroché sous le gouvernail! J'ai vu ça à Verdun...

Il se trompait. La péniche était à peine arrêtée à cinquante mètres de là que des hommes qui, à l'aide d'une perche, tâtonnaient les portes d'aval, appelaient à l'aide.

Il fallut amener un bachot. On sentait quelque chose, sous l'eau, à un mètre de profondeur. Et au moment où quelqu'un se décidait à plonger tandis que sa femme, les larmes aux yeux, tentait de le retenir, un corps arriva brusquement à la surface.

On le hissa. Dix mains saisirent à la fois la veste de velours qui était déchirée, car elle s'était accrochée à l'un des boulons de la porte.

Le reste se déroula comme dans un cauchemar. On entendait la sonnerie du téléphone, dans la maison de l'éclusier. Un gamin était parti en vélo pour avertir un médecin.

Mais c'était inutile. Le corps du vieux charretier était à peine sur la berge, immobile, sans vie apparente, qu'un marinier retirait sa veste, s'agenouillait près de la poitrine formidable du noyé, commençait des tractions de la langue.

Quelqu'un avait apporté la lanterne. Le corps paraissait plus court, plus épais que jamais, et le visage ruisselant, plaqué de vase, était décoloré.

— Il bouge!... Je te dis qu'il bouge!...

Il n'y avait pas de bousculade. Le silence était tel que la moindre parole résonnait comme dans une cathédrale. Et toujours, on entendait le jet d'eau d'une vanne mal fermée.

— Alors?... questionna l'éclusier en revenant.

— Ça remue... Pas bien fort...

— Faudrait un miroir...

Le patron de *la Madeleine* courut en chercher un à bord. L'homme qui pratiquait la respiration artificielle était en nage et un autre prit sa place, donna de plus fortes secousses au noyé.

Quand on annonça le docteur, qui arrivait en voiture par une route latérale, chacun pouvait voir la poitrine du vieux Jean se soulever au ralenti.

On lui avait retiré sa veste. La chemise ouverte laissait voir une poitrine aussi velue que celle d'un fauve. Sous le sein droit, il y avait une longue cicatrice et Maigret aperçut confusément comme un tatouage à l'épaule.

— Au suivant! cria l'éclusier, les mains en porte-voix. Vous ne pouvez tout de même rien y faire...

Et un marinier s'éloigna à regret en appelant sa femme qui, avec d'autres, se lamentait à quelque distance.

— Tu n'as pas arrêté le moteur, au moins?...

Le docteur fit reculer les spectateurs, sourcilla dès qu'il tâta la poitrine.

— Il vit, n'est-ce pas? fit avec orgueil le premier soigneur.

— Police Judiciaire! intervint Maigret. C'est grave?

— La plupart des côtes sont défoncées... C'est vrai qu'il vit!... Mais cela m'étonnerait qu'il vive longtemps... Il a été coincé entre deux bateaux?...

— Entre un bateau et l'écluse, sans doute...

— Tenez!...

Et le médecin fit tâter au commissaire le bras gauche cassé en deux endroits.

— Il y a une civière?...

Le moribond poussa un faible soupir.

— Je vais toujours lui faire une piqûre... Mais qu'on prépare la civière au plus vite... L'hôpital est à cinq cents mètres...

Il y en avait une à l'écluse, selon le règlement, mais elle se trouvait au grenier où, à travers la fenêtre à tabatière, on vit aller et venir la flamme d'une bougie.

La Bruxelloise sanglotait, loin de Maigret qu'elle regardait d'un air de reproche.

Il y eut dix hommes pour soulever le charretier, qui émit un nouveau râle. Puis une lanterne s'éloigna dans la direction de la grand-route, auréolant un groupe compact, tandis qu'une péniche à moteur, parée de ses feux vert et rouge, donnait trois coups de sirène, allait s'amarrer en pleine ville pour être la première à partir le lendemain.

***

Salle 10. Ce fut par hasard que Maigret vit le numéro. Il n'y avait là que deux malades, dont l'un vagissait comme un bébé.

Le commissaire passa la plus grande partie du temps à arpenter le couloir dallé de blanc où des infirmières passaient en courant, se transmettaient des ordres à mi-voix.

Dans la salle 8, en face, pleine de femmes, on s'interrogeait sur le nouveau pensionnaire, on faisait des pronostics.

— Du moment qu'on le met au 10!...

Le docteur était un homme grassouillet, à lunettes d'écaille. Il passa deux ou trois fois, en blouse blanche, sans rien dire à Maigret.

Il était près de onze heures quand il s'approcha enfin de lui.

— Vous voulez le voir?

Ce fut un spectacle déroutant. Le commissaire reconnut à peine le vieux Jean, qu'on avait rasé afin de soigner deux coupures qu'il s'était faites à la joue et au front.

Il était là, tout propre, dans un lit blanc, dans la clarté neutre d'une lampe au verre dépoli.

Le docteur souleva le drap.

— Regardez cette carcasse!... Il est bâti comme un ours... Je crois n'avoir jamais rencontré un pareil squelette... Comment a-t-il fait son compte?...

— Il est tombé de la porte au moment où les vannes étaient ouvertes...

— Je comprends... Il a dû être serré entre le mur et la péniche... La poitrine littéralement défoncée... Les côtes ont cédé...

— Le reste?...

— Il faudra que nous l'examinions demain, mes confrères et moi, s'il vit encore... C'est très délicat... Un faux mouvement risque de le tuer...

— Il a repris connaissance?

— Je n'en sais rien! C'est peut-être le plus renversant... Tout à l'heure, comme je sondais les plaies, j'ai eu l'impression très nette qu'il avait les yeux entrouverts et qu'il me suivait du regard... Mais, dès que je le fixais, il rabattait les paupières... Il n'a pas déliré... C'est à peine s'il râle de temps en temps.

— Son bras?

— Sans gravité! La double fracture est déjà réduite... Mais on ne répare pas une poitrine comme un humérus... D'où vient-il?...

— Je l'ignore...

— Je vous demande cela parce qu'il porte de drôles de tatouages... J'ai vu ceux des Bataillons d'Afrique, mais cela n'y ressemble pas... Je vous les montrerai demain, quand on fera sauter le plâtre pour la consultation.

Le portier vint annoncer que des gens insistaient pour voir le blessé. Maigret se rendit lui-même dans la loge, trouva les deux mariniers de *la Providence* qui s'étaient mis en tenue de ville.

— Nous pouvons le voir, n'est-ce pas, commissaire?... C'est votre faute, vous savez!... Vous l'avez troublé avec vos histoires... Est-ce qu'il va mieux?...

— Il va mieux... Les médecins se prononceront demain...

— Laissez-moi le voir... Même de loin!... Il faisait tellement partie du bateau!...

Elle ne disait pas *de la famille*, mais *du bateau*, et peut-être était-ce plus émouvant?

Son mari s'effaçait derrière elle, mal à l'aise dans un complet de serge bleu, le cou maigre dans un faux col en celluloïd.

— Je vous recommande de ne pas faire de bruit...

Ils le regardèrent tous les deux, du couloir, d'où l'on ne distinguait qu'une forme confuse sous le drap, un peu d'ivoire à la place du visage, quelques cheveux blancs.

— Dites!... Si l'on payait quelque chose, est-ce qu'il serait mieux traité?

Elle n'osait pas ouvrir son sac à main, mais elle le maniait nerveusement.

— Il y a des hôpitaux, n'est-ce pas? où en payant... Les autres ne sont pas contagieux, au moins?...

— Vous restez à Vitry?...

— Bien sûr qu'on ne va pas repartir sans lui!... Tant pis pour le chargement... A quelle heure peut-on venir, demain matin?...

— Dix heures! intervint le médecin qui avait écouté avec impatience.

— Il n'y a pas quelque chose qu'on pourrait

lui apporter?... Une bouteille de champagne?... Des raisins d'Espagne?...

— On lui donnera ce dont il aura besoin...

Et le docteur les poussait vers la loge du concierge. Quand elle y arriva, la brave femme, d'un geste furtif, tira un billet de dix francs de son sac, le mit dans la main du portier qui la regarda avec étonnement.

***

Maigret se coucha à minuit, après avoir télégraphié à Dizy de lui faire suivre les communications qui pourraient arriver à son adresse.

Au dernier moment, il avait appris que le *Southern Cross,* trématant la plupart des péniches, était à Vitry-le-François et s'était amarré au bout de la file des bateaux qui attendaient.

Le commissaire avait pris une chambre à l'*Hôtel de la Marne,* dans la ville, assez loin du canal, et il n'y retrouvait rien de l'atmosphère dans laquelle il avait vécu les derniers jours.

Les clients qui jouaient aux cartes étaient des voyageurs de commerce.

L'un d'eux, arrivé après les autres, annonça :

— Il paraît qu'il y a un noyé à l'écluse...

— Tu fais le quatrième?... Lamperrière perd tout ce qu'il veut... Le type est mort?...

Je ne sais pas...

Ce fut tout. La patronne sommeillait à la

caisse. Le garçon répandait de la sciure de bois sur le plancher et chargeait pour la nuit le poêle à feu continu.

Il y avait une salle de bains, une seule, dont la baignoire avait perdu une partie de son émail. Maigret n'en usa pas moins, le lendemain, à huit heures, envoya le garçon lui acheter une chemise neuve et un faux col.

Mais, à mesure que le temps passait, il s'impatientait. Il avait hâte de revoir le canal. Comme il entendait une sirène, il questionna :

— C'est pour l'écluse?

— Pour le pont-levis... Il y en a trois dans la ville...

Il faisait gris. Il ventait. Il ne retrouva pas le chemin de l'hôpital et dut demander sa route à plusieurs reprises, car toutes les rues le ramenaient invariablement à la place du Marché.

Le portier le reconnut, marcha à sa rencontre en s'écriant :

— On ne l'aurait jamais cru, pas vrai?

— Quoi?... Il vit?... Il est mort?...

— Comment? Vous ne savez pas? Le directeur vient de téléphoner à votre hôtel...

— Dites vite!...

— Eh bien! parti!... Envolé!... Le médecin jure que ce n'est pas possible, qu'il n'a pas pu parcourir cent mètres dans l'état où il était... N'empêche qu'il n'est plus là!...

Le commissaire entendit des bruits de voix

dans le jardin, derrière le bâtiment, se précipita dans cette direction.

Il y trouva un vieillard qu'il n'avait pas encore vu et qui était le directeur de l'hôpital. Il parlait sévèrement au docteur de la veille et à une infirmière aux cheveux roux.

— Je vous jure!... répétait le médecin. Vous savez aussi bien que moi ce que c'est... Quand je dis dix côtes défoncées, je suis sans doute au-dessous de la vérité... Et je ne parle pas de la noyade, de la commotion!...

— Par où est-il parti? questionna Maigret.

On lui montra la fenêtre, qui était à près de deux mètres au-dessus du sol. Sur la terre, on distinguait les traces de deux pieds nus, ainsi qu'une grande traînée qui laissait supposer que le charretier était d'abord tombé de tout son long.

— Voilà!... L'infirmière, Mlle Berthe, a passé la nuit au corps de garde, comme d'habitude... Elle n'a rien entendu... Vers trois heures, elle a dû donner des soins salle 8, et elle a jeté un coup d'œil au 10... Les lampes étaient éteintes... Tout était calme... Elle ne peut pas dire si l'homme était encore dans son lit...

— Les deux autres malades?...

— Il y en a un qui doit être trépané d'urgence... On attend le chirurgien... L'autre a dormi sans se réveiller...

Maigret suivit des yeux les traces qui conduisaient à un parterre, où un petit rosier avait été piétiné.

— La grille reste toujours ouverte?

— Ce n'est pas une prison! riposta le directeur. Et peut-on prévoir qu'un malade va se jeter par la fenêtre?... La porte du bâtiment, seule, était fermée, comme toujours...

Dehors, il était inutile de chercher des empreintes. C'était du pavé. Entre deux maisons, on apercevait la double rangée d'arbres du canal.

— Pour tout dire, ajouta le médecin, j'étais presque sûr que nous le retrouverions mort ce matin... Mais, du moment qu'il n'y avait rien à tenter... C'est pour cela que je l'ai mis au 10...

Il était agressif, car il ne digérait pas les reproches que le directeur lui avait adressés.

Maigret tourna un moment en rond dans le jardin, comme un cheval de cirque, et soudain, soulevant le bord de son chapeau melon en guise de salut, il se dirigea vers l'écluse.

Le *Southern Cross* y pénétrait. Vladimir, avec son habileté de vrai marin, lançait la boucle d'un filin sur une bitte, arrêtait net le bateau.

Quant au colonel, vêtu d'un long ciré, la casquette blanche sur la tête, il restait impassible devant la petite roue du gouvernail.

— Les portes!... cria l'éclusier.

Il n'y avait plus qu'une vingtaine de bateaux à passer.

— C'est son tour? s'informa Maigret en désignant le yacht.

— Son tour et pas son tour... Si on le considère comme un moteur, il a le droit de trématage sur les *écuries*... Mais, comme *plaisance*... Bah! Il en passe si peu qu'on n'est pas très fixé sur les règlements... Seulement, comme ils ont donné la pièce aux mariniers...

C'étaient ces derniers qui manœuvraient les vannes.

— *La Providence?*

— Elle gênait le passage... Ce matin, elle est allée s'amarrer au tournant, cent mètres plus haut, devant le deuxième pont... Vous avez des nouvelles du vieux?... C'est une histoire à me coûter cher... Mais allez vous y retrouver, vous!... En principe, je dois faire écluser seul... Si je le faisais, il y aurait tous les jours cent bateaux à attendre... Quatre portes!... Seize vannes!... Et savez-vous combien je suis payé?...

Il dut s'éloigner un instant, parce que Vladimir lui tendait ses papiers et un pourboire.

Maigret en profita pour longer le canal. Au tournant, il aperçut *la Providence* que, désormais, il eût reconnue de loin d'entre cent péniches.

Un peu de fumée sortait du tuyau de cheminée; on ne voyait personne sur le pont; toutes les issues étaient fermées.

Il faillit monter par la passerelle arrière, donnant accès au logement des mariniers.

Mais il se ravisa, emprunta le large pont servant à amener les chevaux à bord.

Un des panneaux couvrant l'écurie était retiré. La tête d'une des bêtes dépassait, humant le vent.

En plongeant le regard à l'intérieur, Maigret aperçut, derrière ses pattes, une forme sombre étendue sur la paille. Et, tout près, la Bruxelloise était accroupie, un bol de café à la main.

Maternellement, étrangement douce, elle murmurait :

— Allons, Jean!... Buvez-le tant qu'il est chaud!... Cela vous fera du bien, vieux fou... Voulez-vous que je vous soulève la tête?...

Mais l'homme couché à côté d'elle ne bougeait pas, regardait le ciel.

Sur ce ciel se découpait la tête de Maigret, qu'il devait voir.

Et le commissaire avait l'impression que sur le visage zébré de taffetas flottait un sourire content, ironique, voire agressif.

Le vieux charretier essaya de soulever la main pour repousser la tasse que sa compagne approchait de ses lèvres. Mais elle retomba sans force, toute ridée, calleuse, piquetée des petits points bleus qui devaient être des vestiges d'anciens tatouages.

9

LE DOCTEUR

— VOUS voyez! Il est revenu à la niche en se traînant, comme un chien blessé...

Est-ce que la marinière se rendait compte de l'état du blessé? Toujours est-il qu'elle ne s'affolait pas. Elle était aussi calme que si elle eût soigné un enfant atteint de la grippe.

— Du café, cela ne peut pas lui faire de mal, n'est-il pas vrai?... Mais il ne veut rien prendre... Il devait être quatre heures du matin quand mon mari et moi nous avons été réveillés en sursaut par un grand bruit à bord... J'ai pris le revolver... Je lui ai dit de me suivre avec la lanterne...

« Vous me croirez si vous voulez : Jean était là, à peu près tel que vous le voyez... Il a dû tomber du pont... Cela fait presque deux mètres...

« Au début, on ne voyait pas très clair... J'ai cru un moment qu'il était mort...

« Mon mari voulait appeler des voisins pour

nous aider à le porter sur un lit... Mais Jean a compris... Il s'est mis à me serrer la main... A me la serrer!... On aurait dit qu'il se cramponnait...

« Et je le voyais renifler...

« J'ai compris... Parce que, depuis huit ans qu'il est avec nous, n'est-ce pas?... Il ne peut pas parler... Mais je crois qu'il entend ce que je dis... Pas vrai, Jean?... Cela te fait mal?...

Il était difficile de savoir si les prunelles du blessé brillaient d'intelligence ou de fièvre.

La femme enleva un brin de paille qui lui touchait l'oreille.

— Moi, ma vie, c'est mon petit ménage, mes cuivres, mes quatre meubles... Je pense que si l'on me donnait un palais j'y serais malheureuse...

« Jean, lui, c'est son écurie... Et ses bêtes!... Tenez!... Il y a naturellement des jours où l'on ne marche pas parce qu'on décharge... Jean n'a rien à faire... Il pourrait aller au bistrot...

« Non! Il se couche, à cette place-ci... Il s'arrange pour qu'il rentre un rayon de soleil...

Et Maigret se mit en pensée à l'endroit où se trouvait le charretier, vit la cloison passée à la résine à sa droite, avec le fouet qui pendait à un clou tordu, la tasse d'étain suspendue à un autre, un pan de ciel entre les panneaux du haut et, à droite, la croupe musclée des chevaux.

Il se dégageait de l'ensemble une chaleur

animale, une vie multiple, épaisse, qui prenait à la gorge comme le vin râpeux de certains coteaux.

— On pourra le laisser là, dites?

Elle fit signe au commissaire de la suivre dehors. L'écluse fonctionnait au même rythme que la veille. Et alentour c'étaient les rues de la ville, avec leur animation étrangère au canal.

— Il va quand même mourir, non?... Qu'est-ce qu'il a fait?... Vous pouvez bien me le dire... Mais, moi, je ne pouvais pas parler, avouez-le!... D'abord je ne sais rien... Une fois, une seule, mon mari a surpris Jean avec la poitrine nue... Il a vu des tatouages... Pas ceux que portent certains mariniers... On a supposé ce que vous auriez supposé...

« Je crois que je l'ai aimé encore plus... Je me suis dit qu'il n'était sans doute pas ce qu'il avait l'air d'être, qu'il se cachait...

« Je ne l'aurais pas questionné pour tout l'or du monde... Vous ne pensez pas qu'il a tué la femme?... Ou alors, écoutez, s'il a fait ça, je vous jure qu'elle le méritait!...

« Jean, c'est...

Elle chercha un mot qui exprimât sa pensée, n'en trouva pas.

— Bon! voilà mon homme qui se lève... Je l'ai envoyé se coucher, car il n'a jamais été bien solide de la poitrine... Est-ce que vous croyez que si je préparais du bouillon bien fort...

— Les médecins vont venir. Il vaut mieux, en attendant...

— C'est nécessaire qu'ils viennent?... Ils vont le faire souffrir, lui gâter les derniers moments que...

— C'est indispensable...

— Il est si bien là avec nous!... Je peux vous laisser un moment?... Vous n'allez pas le tourmenter?...

Maigret esquissa un signe de tête rassurant, rentra dans l'écurie, tira de sa poche une boîte de métal qui contenait un petit tampon imprégné d'encre grasse.

Il était toujours impossible de savoir si le charretier avait sa connaissance. Ses paupières étaient entrouvertes. Il en filtrait un regard neutre, serein.

Mais quand le commissaire souleva la main droite du blessé, appuya ses doigts l'un après l'autre sur le tampon, il eut l'impression que, l'espace d'un dixième de seconde à peine, l'ombre d'un sourire errait à nouveau sur le visage.

Il prit les empreintes digitales sur une feuille de papier, observa un moment le moribond, comme s'il eût espéré quelque chose, jeta un dernier regard aux cloisons, à la croupe des bêtes qui manifestaient de l'impatience, sortit.

Près du gouvernail, le marinier et sa femme buvaient leur café au lait trempé de pain en regardant de son côté. A moins de cinq mètres de *la Providence,* le *Southern Cross* était amarré, sans personne sur le pont.

La veille, Maigret avait laissé son vélo à l'écluse, où il le retrouva. Dix minutes plus tard, il était dans les bureaux de la police, envoyait un agent à motocyclette à Épernay avec mission de transmettre les empreintes à Paris par bélinogramme.

Quand il revint à bord de *la Providence,* il était accompagné de deux médecins de l'hôpital avec qui il fallut entamer une discussion.

Les médecins voulaient reprendre leur blessé. La Bruxelloise, alarmée, lançait à Maigret des regards suppliants.

— Est-ce que vous pouvez le guérir?

— Non! La poitrine est défoncée. Une côte a pénétré dans le poumon droit...

— Combien de temps a-t-il à vivre?

— N'importe qui serait déjà mort!... Dans une heure, ou dans cinq...

— Alors, laissez-le!

Le vieux n'avait pas bougé, n'avait pas eu un tressaillement. Comme Maigret passait devant la marinière, elle lui toucha la main, timidement, dans un geste de reconnaissance.

Les docteurs traversèrent la passerelle d'un air mécontent.

— Le laisser mourir dans une écurie!... grommela l'un d'eux.

— Bah!... On l'y a bien laissé vivre.

Le commissaire n'en plaça pas moins un agent à proximité de la péniche et du yacht, avec mission de l'avertir s'il se passait quelque chose.

De l'écluse, il se mit en relation téléphonique avec le *Café de la Marine* de Dizy, où on lui apprit que l'inspecteur Lucas venait de passer et qu'il avait loué une auto à Épernay pour se faire conduire à Vitry-le-François.

Il y eut une grande heure creuse. Le marinier de *la Providence* profitait de ce répit pour passer au goudron le bachot qu'il avait en remorque. Vladimir astiquait les cuivres du *Southern Cross.*

Quant à la femme, on la voyait passer sans cesse sur le pont, allant de la cuisine à l'écurie. Une fois, elle portait un oreiller d'une blancheur éclatante, une autre un bol de liquide fumant, sans doute le bouillon qu'elle s'était entêtée à préparer.

Vers onze heures, Lucas arriva à l'*Hôtel de la Marne,* où Maigret l'attendait.

— Ça va, vieux?

— Ça va! Vous êtes fatigué, patron...

— Votre enquête?

— Pas grand-chose! A Meaux, rien, sinon que le yacht a déclenché un petit scandale... Les mariniers, qui ne pouvaient pas dormir à cause de la musique et des chants, parlaient de tout casser...

La Providence y était?

— Elle a chargé à moins de vingt mètres du *Southern Cross*... Mais on n'a rien remarqué de spécial...

— A Paris?

— J'ai revu les deux petites... Elles ont avoué que ce n'était pas Mary Lampson qui leur avait donné le collier, mais Willy Marco... On m'a confirmé la chose à l'hôtel, où l'on a reconnu sa photographie et où Mme Lampson n'a pas été aperçue... Je n'en suis pas sûr, mais je crois que Lia Lauwenstein connaissait Willy plus intimement qu'elle veut bien le dire et qu'à Nice il lui est déjà arrivé de l'aider...

— A Moulins?

— Rien! J'ai rendu visite à la boulangère, qui est bien la seule Marie Dupin de l'endroit... Une brave femme sans malice, qui ne comprend rien à ce qui lui arrive et qui se lamente parce qu'elle craint que ces histoires lui fassent du tort... L'extrait d'acte de naissance date de huit ans... Or, il y a un nouveau secrétaire depuis trois ans et l'ancien est mort l'année dernière... On a fouillé les archives, sans rien trouver concernant ce papier...

Après un silence, Lucas questionna :

— Et vous?

— Je ne sais pas encore... Rien!... Ou tout!... Cela se décidera d'une heure à l'autre... Que raconte-t-on à Dizy?...

— Que si le *Southern Cross* n'avait pas été un

yacht, on ne l'aurait sûrement pas laissé partir et l'on rappelle que le colonel n'en est pas à sa première femme...

Maigret se tut, entraîna son compagnon à travers les rues de la petite ville jusqu'au bureau du télégraphe.

— Vous me donnerez l'Identité Judiciaire, à Paris...

Le bélinogramme avec les empreintes du charretier devait être arrivé depuis près de deux heures à la Préfecture. Et, dès lors, c'était une question de chance. On pouvait trouver tout de suite, parmi les quatre-vingt mille autres, la fiche correspondante aux empreintes, comme le travail pouvait durer des heures.

— Prenez un écouteur, vieux... Allô!... Qui est à l'appareil?... C'est vous, Benoît?... Ici, Maigret... On a reçu ma communication?... Vous dites?... C'est vous-même qui avez fait les recherches?... Attendez un instant...

Il sortit de la cabine, se dirigea vers le bureau des Postes.

— J'aurai peut-être besoin de la ligne pendant très longtemps! Veillez à ce qu'on ne coupe en aucun cas...

Quand il reprit l'écouteur, il avait le regard plus animé.

— Asseyez-vous, Benoît, car vous allez me lire tout le dossier... Lucas, qui est à côté de moi, prendra des notes... Allez-y...

Il imaginait son interlocuteur avec autant de netteté que s'il eût été près de lui, car il connaissait les locaux, là-haut, dans les combles du Palais de Justice, où des armoires de fer contiennent les fiches de tous les malfaiteurs de France et de bon nombre de bandits étrangers.

— D'abord son nom...

— Jean-Évariste Darchambaux, né à Boulogne, actuellement âgé de cinquante-cinq ans...

Machinalement, Maigret cherchait à se souvenir d'une affaire de ce nom, mais déjà la voix indifférente de Benoît, qui articulait les syllabes avec minutie, reprenait, tandis que Lucas écrivait :

— Docteur en médecine... Marié, à vingt-cinq ans, à une certaine Céline Mornet d'Étampes... Installé à Toulouse, où il fait ses études... Vie assez mouvementée... Vous m'entendez, commissaire?

— Très bien! Allez...

— J'ai pris tout le dossier, car la fiche ne dit presque rien... Le couple ne tarde pas à être criblé de dettes... Deux ans après son mariage, à vingt-sept ans, Darchambaux est accusé d'avoir empoisonné sa tante, Julia Darchambaux, qui était venue rejoindre le ménage à Toulouse et qui réprouvait son genre de vie... La tante était fortunée... Les Darchambaux étaient les seuls héritiers...

« L'instruction a duré huit mois, car on ne

trouvait pas de preuve formelle... Du moins l'assassin prétendait-il — et certains experts le soutenaient — que les médicaments ordonnés à la vieille femme ne constituaient pas un poison en eux-mêmes et qu'il ne s'agissait que d'une cure audacieuse...

« Il y a eu des polémiques... Vous ne voulez pas que je vous lise les rapports?

« Le procès a été houleux et il a fallu suspendre plusieurs fois l'audience... La plupart croyaient à l'acquittement, surtout après la déposition de la femme du docteur, qui vint jurer que son mari était innocent et que, si on l'envoyait au bagne, elle l'y rejoindrait...

— Condamné? fit Maigret.

— Quinze ans de travaux forcés... Attendez!... C'est fini pour nos dossiers... Mais j'ai envoyé un cycliste au ministère de l'Intérieur... Il vient de rentrer...

On l'entendit qui parlait à quelqu'un se trouvant derrière lui, puis qui maniait des papiers.

— Voici!... Cela ne donne pas grand-chose... Le directeur de Saint-Laurent-du-Maroni a voulu faire travailler Darchambaux dans un des hôpitaux de la colonie pénitentiaire... Il s'y est refusé... Les notes sont bonnes... Forçat docile... Une seule tentative d'évasion, en compagnie de quinze compagnons qui l'avaient entraîné...

« Cinq ans plus tard, un nouveau directeur

tente ce qu'il appelle le repêchage de Darchambaux, mais note aussitôt en marge de son rapport que rien dans le forçat qu'on lui amène ne rappelle l'intellectuel d'autrefois, ni même l'homme d'une certaine éducation...

« Bon! Ceci vous intéresse?...

« Placé comme infirmier à Saint-Laurent, il sollicite lui-même son retour à la colonie...

« Il est doux, têtu, silencieux. Un de ses confrères, intéressé par son cas, l'examine du point de vue mental et ne peut se prononcer.

« Il y a, comme il l'écrit en soulignant ces mots à l'encre rouge, une sorte d'extinction progressive des facultés intellectuelles, parallèle à une hypertrophie de la vie physique.

« Darchambaux vole à deux reprises. Les deux fois, il vole de la nourriture, la seconde à un compagnon de chaîne qui le blesse à la poitrine d'un coup de silex aiguisé...

« Des journalistes de passage lui conseillent en vain de demander sa grâce.

« Ses quinze ans finis, il reste relégué, s'embauche comme valet dans une scierie où il s'occupe des chevaux.

« A quarante-cinq ans, il est quitte avec la loi. On perd sa trace...

— C'est tout?

— Je puis vous envoyer le dossier... Je ne vous en ai donné qu'une analyse...

— Aucun renseignement sur sa femme?...

Vous avez dit qu'elle est née à Étampes, n'est-ce pas?... Je vous remercie, Benoît... Pas la peine d'expédier les pièces... Ce que vous m'avez dit suffit...

Quand il sortit de la cabine, suivi de Lucas, il était en nage.

— Vous allez téléphoner à la marie d'Étampes. Si Céline Mornet est morte, vous le saurez... Du moins si elle est morte sous ce nom-là... Voyez aussi à Moulins si Marie Dupin a de la famille à Étampes...

Il traversa la ville sans rien voir, les mains dans les poches, dut attendre cinq minutes au bord du canal, parce que le pont-levis était levé et qu'une péniche lourdement chargée avançait à peine, traînait son ventre plat sur le fond dont la vase montait à la surface avec des bulles d'air.

Devant *la Providence,* il s'approcha de l'agent qu'il avait posté sur le chemin de halage.

— Vous pouvez aller...

Il apercevait le colonel qui faisait les cent pas sur le pont de son yacht.

La patronne de la péniche accourait, beaucoup plus troublée que le matin, des sillons luisants sur les joues.

— C'est affreux, commissaire...

Maigret pâlit, questionna, les traits durs :

— Mort?

— Non!... Taisez-vous... Tout à l'heure, j'étais près de lui, toute seule... Parce qu'il faut vous dire que, s'il aimait mon mari aussi, il avait une préférence pour moi...

« Je suis beaucoup plus jeune... Eh bien! quand même, il me regardait un peu comme une maman...

« On restait des semaines sans parler... Seulement... Un exemple!... La plupart du temps, mon mari oublie la date de ma fête!... La Sainte-Hortense... Eh bien! depuis huit ans, Jean n'a jamais manqué de m'offrir des fleurs... Quelquefois, quand nous étions en pleine campagne, je me demandais où il allait les chercher...

« Et, ce jour-là, il mettait une cocarde aux œillères des chevaux...

« Alors... Je m'étais assise tout près de lui... Sans doute que ce sont ses dernières heures... Mon mari voudrait faire sortir les chevaux, qui ne sont pas habitués à rester enfermés si longtemps...

« Je n'ai pas accepté, parce que je suis sûre qu'il tient à les avoir là aussi...

« J'avais pris sa grosse main...

Elle pleurait. Elle ne sanglotait pas. Elle continuait de parler, avec des larmes fluides qui roulaient sur ses joues couperosées.

— Je ne sais pas comment c'est venu... Je n'ai pas d'enfants... Même que nous avons toujours décidé d'en adopter un quand nous aurons l'âge que la loi exige...

« Je lui disais que ce n'était rien, qu'il

guérirait, que nous essayerions d'avoir un chargement pour l'Alsace, où, l'été, le pays est très joli...

« J'ai senti que ses doigts serraient les miens... Je ne pouvais pas lui avouer qu'il me faisait mal...

« C'est alors qu'il a voulu parler...

« Est-ce que vous comprenez ça?... Un homme comme lui, qui hier encore était fort comme ses chevaux... Il ouvrait la bouche... Il faisait un si grand effort que ses veines devenaient toutes violettes et toutes gonflées aux tempes...

« Et j'entendais un bruit rauque, comme un cri d'animal...

« Je le suppliais de rester tranquille... Mais il s'obstinait... Il s'est assis sur la paille, je ne sais comment... Et il ouvrait toujours la bouche...

« Il en sortait du sang, qui coulait sur son menton...

« J'aurais voulu appeler mon mari... Mais Jean me tenait toujours... Il me faisait peur...

« Vous ne pouvez pas vous figurer ça... J'essayais de comprendre... Je questionnais...

« — A boire?... Non?... Il faut aller chercher quelqu'un?...

« Et il était tellement désespéré de ne pouvoir rien dire!... J'aurais dû deviner... J'ai bien cherché...

« Dites! Qu'est-ce qu'il pouvait me demander?... Voilà maintenant qu'il a quelque chose de déchiré dans la gorge... Je ne sais pas, moi...

« Il a eu une hémorragie. Il a fini par se recoucher, les dents serrées, justement sur son bras cassé... Cela lui fait sûrement mal et pourtant on dirait qu'il ne sent rien...

« Il regarde droit devant lui...

« Je donnerais tant pour savoir ce qui lui ferait plaisir avant... avant qu'il soit trop tard...

Maigret marcha sans bruit vers l'écurie où il regarda le panneau ouvert.

C'était aussi prenant, aussi âpre que l'agonie d'une bête avec laquelle on n'a aucun moyen de communiquer.

Le charretier était replié sur lui-même. Il avait arraché en partie l'appareil que, la nuit, le médecin avait posé autour de son torse.

Et l'on entendait le sifflement très espacé de sa respiration.

Un des chevaux s'était pris une patte dans sa longe, mais restait immobile, comme s'il eût compris qu'il se passait quelque chose de solennel.

Maigret hésitait, lui aussi. Il évoquait la femme morte, enfouie sous la paille de l'écurie de Dizy, puis le corps de Willy qui flottait sur le canal et que des gens, dans le froid matin, essayaient d'accrocher avec une gaffe.

Sa main, dans sa poche, tripotait l'insigne du Yacht Club de France, le bouton de manchette.

Et il revoyait le colonel s'inclinant devant le juge d'instruction, demandant d'une voix qui ne tremblait pas l'autorisation de poursuivre son voyage.

A la morgue d'Épernay, dans une chambre glaciale, tapissée de casiers métalliques comme les sous-sols d'une banque, deux corps attendaient, chacun dans une boîte numérotée.

Et à Paris, deux petites femmes aux fards mal appliqués devaient traîner leur sourde angoisse de bar en bar.

Lucas arrivait.

— Eh bien? lui cria Maigret, de loin.

— Céline Mornet n'a plus donné signe de vie à Étampes depuis le jour où elle a réclamé les papiers nécessaires à son mariage avec Darchambaux...

L'inspecteur observa curieusement le commissaire.

— Qu'avez-vous?

— Chut!...

Mais Lucas avait beau regarder autour de lui : il ne voyait rien qui justifiât la moindre émotion.

Alors Maigret l'amena jusqu'au panneau de l'écurie, lui désigna la forme étendue dans la paille.

La marinière se demandait ce qu'ils allaient faire. D'un bateau à moteur qui passait, une voix lançait gaiement :

— Alors?... En panne?...

Elle se mit à nouveau à pleurer, sans savoir pourquoi. Son mari remontait à bord, un seau de goudron d'une main, une brosse de l'autre, annonçait de l'arrière :

— Il y a quelque chose qui brûle sur le feu...

Elle gagna la cuisine, machinalement. Et Maigret dit à Lucas, comme à regret :

— Descendons...

Un des chevaux hennit faiblement. Le charretier ne bougea pas.

Le commissaire avait pris la photographie de la femme morte dans son portefeuille, mais il ne la regardait pas.

10

LES DEUX MARIS

— ÉCOUTE, Darchambaux...

Maigret avait dit cela, debout, en scrutant le visage du charretier. Sans même s'en rendre compte, il avait tiré sa pipe de sa poche, mais il ne songeait pas à la bourrer.

La réaction ne fut-elle pas celle qu'il espérait? Toujours est-il qu'il se laissa tomber sur le banc de l'écurie, se pencha en avant, le menton dans les mains, reprit d'une autre voix :

— Écoutez... Ne vous agitez pas... Je sais que vous ne pouvez pas parler...

Une ombre insolite qui passait sur la paille lui fit lever la tête et il aperçut le colonel, debout sur le pont de la péniche, au bord du panneau ouvert.

L'Anglais ne bougea pas, continua à suivre la scène des yeux, de haut en bas, les pieds plus haut que la tête des trois personnages.

Lucas se tenait à l'écart autant que le permettait l'exiguïté de l'écurie. Maigret, un peu plus nerveux, poursuivit :

— On ne vous emmènera pas d'ici... Vous comprenez, Darchambaux?... Dans quelques instants, je vais me retirer... Mme Hortense prendra ma place...

C'était poignant, sans qu'on eût pu dire exactement pourquoi. Maigret, malgré lui, parlait avec presque autant de douceur que la Bruxelloise.

— Il faut, d'abord, que vous répondiez par des battements de paupières à quelques questions... Plusieurs personnes peuvent être accusées, arrêtées d'un moment à l'autre... Ce n'est pas ce que vous voulez, n'est-ce pas?... Alors, j'ai besoin que vous me confirmiez la vérité...

Et, tout en parlant, le commissaire ne cessait de guetter l'homme, de se demander qui il avait à cet instant devant lui : du docteur de jadis, du bagnard obstiné, du charretier abruti ou enfin de l'assassin exacerbé de Mary Lampson.

La silhouette était fruste, les traits rudes. Mais les yeux n'avaient-ils pas une expression nouvelle, d'où toute ironie était exclue?

Une expression de tristesse infinie.

Deux fois Jean essaya de parler. Deux fois on entendit un bruit qui ressemblait au gémissement d'un animal et de la salive rose perla aux lèvres du moribond.

Maigret voyait toujours l'ombre des jambes du Colonel.

— Quand vous êtes parti au bagne, jadis, vous aviez la conviction que votre femme tiendrait sa promesse, qu'elle vous suivrait là-bas... C'est elle que vous avez tuée à Dizy!...

Pas un tressaillement! Rien! Le visage prenait une teinte grisâtre.

— Elle n'est pas venue et... vous avez perdu courage... Vous... vous avez voulu tout oublier, jusqu'à votre personnalité...

Maigret parlait plus vite, comme pris d'impatience. Il avait hâte d'en finir. Et il craignait par-dessus tout de voir Jean succomber pendant cet interrogatoire épouvantable.

— Vous l'aviez retrouvée par hasard, alors que vous étiez devenu un autre homme... C'était à Meaux... N'est-ce pas?...

Il fallut attendre un bon moment avant que le charretier, docile, consentît à fermer les paupières en signe de confirmation.

L'ombre des jambes bougea. La péniche oscilla un instant au passage d'un bateau à moteur.

— Elle était restée la même, elle!... Jolie... Et coquette!... Et gaie!... On dansait, sur le pont du yacht... Vous n'avez pas pensé tout de suite à la tuer... Sinon, il n'était pas besoin de la conduire d'abord à Dizy...

Est-ce que seulement le mourant entendait encore? Couché comme il l'était, il devait voir le colonel juste au-dessus de sa tête. Mais ses yeux n'exprimaient rien! Rien, du moins, que l'on pût comprendre.

— Elle avait juré de vous suivre partout... Vous aviez été au bagne... Vous viviez dans une écurie... Et l'idée vous est venue soudain de la reprendre, telle qu'elle était, avec ses bijoux, son visage fardé, sa robe blanche, et de lui faire partager votre paille... N'est-ce pas, Darchambaux?...

Les paupières ne battirent pas. Mais la poitrine se souleva. Il y eut un nouveau râle. Lucas, qui n'en pouvait plus, remua dans son coin.

— C'est cela! Je le sens! prononça Maigret de plus en plus vite, comme pris de vertige. Devant son ancienne femme, Jean-le-charretier, qui avait à peu près oublié le docteur Darchambaux, retrouvait des souvenirs, des bouffées d'autrefois... Et une étrange vengeance s'ébauchait... Une vengeance?... A peine!... Un besoin obscur de ramener à son niveau celle qui avait promis d'être à lui pour la vie...

« Et Mary Lampson a vécu trois jours, cachée dans cette écurie, presque de son plein gré...

« Car elle a eu peur... Peur du revenant qu'elle sentait prêt à tout, qui lui ordonnait de le suivre!...

« D'autant plus peur qu'elle avait conscience de la lâcheté qu'elle avait commise...

« Elle est venue d'elle-même... Et vous, Jean, vous lui avez apporté de la viande conservée, du gros vin rouge... Vous l'avez rejointe, deux nuits de suite, après les interminables étapes le long de la Marne...

« A Dizy...

Une fois encore le moribond s'agita. Mais il était sans force. Il retomba, tout mou, vide de nerfs.

— Elle a dû se révolter... Elle ne pouvait pas supporter plus longtemps pareille vie... Vous l'avez étranglée, dans un moment de fureur, plutôt que de la laisser repartir une seconde fois... Vous avez porté le cadavre dans l'écurie... Est-ce vrai?

Il dut répéter cinq fois la question et à la fin les paupières bougèrent.

— Oui... disaient-elles avec indifférence.

Il y eut un léger bruit sur le pont. Le colonel écartait la Bruxelloise qui voulait se rapprocher. Elle obéissait, impressionnée par son air solennel.

— Le chemin de halage... Votre vie, à nouveau, le long du canal... Mais vous étiez inquiet... Vous aviez peur... Car vous avez peur de mourir. Jean... Peur d'être repris... Peur du bagne... Une peur atroce, surtout, de quitter vos chevaux, votre écurie, votre paille, le petit coin qui est devenu votre univers... Alors, une nuit, vous avez pris le vélo d'un éclusier... Je vous avais questionné... Vous deviniez mes soupçons...

« Vous êtes venu rôder à Dizy, avec l'idée de faire quelque chose, n'importe quoi, pour les détourner...

« Est-ce exact?...

Jean, maintenant, était d'un calme si absolu qu'on pouvait le croire mort. Son visage n'exprimait plus que l'ennui. Ses paupières, pourtant, s'abaissèrent une fois de plus.

— Quand vous êtes arrivé, le *Southern Cross* n'était pas éclairé. Vous pouviez croire que tout le monde était endormi. Sur le pont séchait un bonnet de marin... Vous l'avez pris... Vous êtes allé à l'écurie, afin de le cacher sous la paille... C'était le moyen de changer le cours de l'enquête, de la faire dévier vers les hôtes du yacht.

« Vous ne pouviez pas savoir que Willy Marco, qui était dehors, tout seul, et qui vous avait vu prendre le béret, vous suivait pas à pas... Il vous a attendu, à la porte de l'écurie, où il a perdu un bouton de manchettes...

« Intrigué, il vous a suivi tandis que vous retourniez vers le pont de pierre, où vous aviez laissé votre vélo...

« Est-ce qu'il vous a interpellé?... Est-ce que vous avez entendu du bruit derrière vous?...

« Il y a eu lutte... Vous l'avez tué, de vos

doigts terribles, qui avaient déjà étranglé Mary Lampson... Vous avez traîné son corps jusqu'au canal...

« Puis vous avez dû marcher, tête basse... Vous avez vu, sur le chemin, quelque chose qui brillait, l'insigne de l'Y.C.F... Et, à tout hasard, l'ayant peut-être vu à la boutonnière du colonel, vous l'avez jeté à l'endroit où avait eu lieu la bataille... Répondez, Darchambaux... C'est bien ainsi que les choses se sont passées?...

— En panne, *la Providence?...* lançait à nouveau un marinier, dont la péniche passa si près qu'on vit sa tête glisser à hauteur du panneau.

Et, chose étrange, troublante, les yeux de Jean s'humectèrent. Il battit des paupières, très vite, comme pour tout admettre, pour en finir. Il entendit la marinière qui répondait, de l'arrière où elle attendait :

— C'est Jean qui s'est blessé...

Alors Maigret, en se levant :

— Hier soir, quand j'ai examiné vos bottes, vous avez compris que j'arriverais fatalement à la vérité... Vous avez voulu vous tuer, en vous jetant dans les remous de l'écluse...

Mais le charretier était si bas, il respirait avec tant de peine que le commissaire n'attendit même pas de réponse. Il fit un signe à Lucas, regarda une dernière fois autour de lui.

Il tombait dans l'écurie un rayon de soleil

oblique qui atteignait l'oreille gauche du charretier et le sabot d'un des chevaux.

Au moment où les deux hommes sortaient, sans rien trouver à ajouter, Jean essaya encore une fois de parler, avec véhémence, sans souci de la douleur. Il se dressa à demi sur sa couche, les yeux fous.

Maigret ne s'occupa pas tout de suite du colonel. Il adressa des gestes d'appel à la femme qui, de loin, l'observait.

— Eh bien?... Comment va-t-il? questionna-t-elle.

— Restez près de lui...

— Je peux?... On ne viendra plus le...

Elle n'osa pas achever. Elle s'était figée en entendant les appels indistincts de Jean qui semblait avoir peur de mourir tout seul.

Puis soudain elle courut vers l'écurie.

***

Vladimir, assis sur le cabestan du yacht, une cigarette aux lèvres, son bonnet blanc en travers sur sa tête, faisait une épissure.

Un agent attendait sur le quai et Maigret lui demanda, de la péniche :

— Qu'est-ce que c'est?

— On a la réponse de Moulins...

Il tendit un pli qui disait simplement :

« *La boulangère Marie Dupin déclare qu'elle*

avait, à Étampes, une arrière-cousine nommée Céline Mornet. »

Alors Maigret regarda le colonel des pieds à la tête. Il portait sa casquette blanche à large écusson. Ses yeux étaient à peine glauques, ce qui signifiait sans doute qu'il avait bu relativement peu de whisky.

— Vous aviez des soupçons sur *la Providence?* lui demanda-t-il à brûle-pourpoint.

C'était tellement évident! Est-ce que Maigret, lui aussi, n'eût pas soupçonné la péniche si ses doutes ne s'étaient portés un instant sur les hôtes du yacht?

— Pourquoi ne m'avez-vous rien dit?

La réponse fut digne du dialogue entre sir Lampson et le juge d'instruction, à Dizy.

— Je voulais *faire* moi-même...

Et cela suffisait à exprimer le mépris du colonel pour la police.

— Mon femme?... questionna-t-il presque aussitôt.

— Comme vous l'avez dit, comme Willy Marco l'a dit, c'était une charmante femme...

Maigret parlait sans ironie. D'ailleurs, il était plus attentif aux bruits qui arrivaient de l'écurie qu'à cette conversation.

On entendait le murmure étouffé d'une seule voix : celle de la marinière, qui avait l'air de consoler un enfant malade.

— Quand elle a épousé Darchambaux, elle

avait déjà envie de luxe... Et, sans doute, est-ce pour elle que le médecin pauvre qu'il était a aidé sa tante à mourir... Je ne dis pas qu'elle était complice... Je dis que c'était pour elle!... Et elle le savait si bien qu'elle a juré en cour d'assises d'aller le rejoindre...

« Une charmante femme... Ce qui n'est pas la même chose qu'une héroïne...

« Le goût de la vie a été le plus fort... Vous devez comprendre cela, colonel...

Il y avait à la fois du soleil, du vent et des nuages menaçants. Une ondée pouvait tomber d'un moment à l'autre. La lumière était équivoque.

— On revient si rarement du bagne!... Elle était jolie... Toutes les joies étaient à sa portée... Il n'y avait que son nom à la gêner... Alors, sur la Côte d'Azur, où elle avait rencontré un premier admirateur prêt à l'épouser, elle a eu l'idée de faire venir de Moulins l'extrait d'acte de naissance d'une petite-cousine dont elle se souvenait...

« C'est facile! Si facile qu'on parle en ce moment de prendre les empreintes digitales des nouveau-nés et de les apposer sur les registres d'état civil...

« Elle a divorcé... Elle est devenue votre femme...

« Une charmante femme... Pas méchante, j'en

suis sûr... Mais elle aimait la vie, n'est-ce pas?... Elle aimait la jeunesse, l'amour, le luxe...

« Avec peut-être, parfois, comme des retours de flamme qui la poussaient à une fugue inexplicable...

« Tenez! Je suis persuadé qu'elle a suivi Jean moins à cause de ses menaces que par besoin de se faire pardonner...

« Le premier jour, cachée dans l'écurie de ce bateau, parmi les odeurs fortes, elle a dû goûter une satisfaction trouble à l'idée qu'elle expiait...

« La même chose que jadis, quand elle criait aux jurés qu'elle suivrait son mari en Guyane.

« Des êtres charmants, dont le premier mouvement est toujours bon, voire théâtral... Ils sont tous pétris de bonnes intentions...

« Seulement la vie, avec ses lâchetés, ses compromissions, ses besoins impérieux est plus puissante...

Maigret avait parlé avec un certain emportement, sans cesser de guetter les bruits de l'écurie en même temps que son regard suivait les mouvements des bateaux qui entraient dans l'écluse ou en sortaient.

Le colonel, devant lui, tenait la tête basse. Quand il la releva, ce fut pour observer Maigret avec une sympathie évidente, peut-être même avec une émotion contenue.

— Vous venez boire? dit-il en désignant son yacht.

Lucas se tenait à l'écart.

— Vous me préviendrez? lui lança le commissaire.

Entre eux, il n'y avait pas besoin d'explications. L'inspecteur avait compris, rôdait, silencieux, autour de l'écurie.

Le *Southern Cross* était en ordre comme si rien ne se fût passé. Il n'y avait pas un grain de poussière sur les cloisons d'acajou de la cabine.

Au milieu de la table, un flacon de whisky, un siphon et des verres.

— Restez dehors, Vladimir!...

L'impression de Maigret était nouvelle. Il n'entrait plus là pour essayer de découvrir un lambeau de vérité. Il était moins lourd, moins brutal.

Et le colonel le traitait comme il avait traité M. de Clairfontaine de Lagny.

— Il va mourir, n'est-ce pas?...

— D'une minute à l'autre, oui!... Il le sait depuis hier...

L'eau gazeuse gicla du siphon. Sir Lampson prononça gravement :

— Santé!...

Et Maigret but, avec autant d'avidité que son hôte.

— Pourquoi il a quitté l'hôpital?...

Le rythme des répliques était lent. Avant de répondre, le commissaire regarda autour de lui, observa les moindres détails de la cabine.

— Parce que...

Il chercha ses mots, cependant que son compagnon emplissait déjà les verres.

— ... un homme sans attaches... un homme qui a coupé tous les liens avec son passé, avec son ancienne personnalité... Il lui faut bien se raccrocher à quelque chose!... Il a eu son écurie... l'odeur... les chevaux... le café avalé tout brûlant à trois heures du matin avant de marcher jusqu'au soir... Son terrier, si vous voulez!... Son coin à lui... Tout plein de sa chaleur animale...

Et Maigret regarda le colonel dans les yeux. Il le vit détourner la tête. Il ajouta tout en saisissant son verre :

— Il y a des terriers de toutes sortes... Il y en a qui sentent le whisky, l'eau de Cologne et la femme... Avec des airs de phonographe et...

Il se tut pour boire. Quand il redressa la tête, son compagnon avait eu le temps de vider un troisième verre.

Et sir Lampson le regardait de ses gros yeux troubles, lui tendait la bouteille.

— Merci... protesta Maigret.

— Yes!... J'ai besoin...

Est-ce qu'il n'y avait pas de l'affection dans son regard?

— Mon femme... Willy...

A cet instant, une pensée aiguë traversa l'esprit du commissaire. Est-ce que sir Lampson ne se trouvait pas aussi seul, aussi désemparé que Jean, qui était en train de mourir dans son écurie?

Encore le charretier avait-il près de lui ses chevaux et la Bruxelloise maternelle.

— Buvez!... Yes!... Je demande. . Vous êtes un gentleman...

Il était quasi suppliant. Il tendait sa bouteille avec un regard un peu honteux. On entendait Vladimir qui allait et venait sur le pont.

Maigret tendit son verre. Mais on frappa à la porte. Lucas appela à travers l'huis :

— Commissaire!...

Et, la porte à peine ouverte, il ajouta :

— C'est fait...

Le colonel ne bougea pas. Il regarda les deux hommes s'éloigner d'un air lugubre. Quand il se retourna, Maigret le vit boire le verre qu'il venait de lui servir, d'un trait, et il l'entendit crier :

— Vladimir!...

Près de *la Providence,* quelques personnes étaient arrêtées, car, de la berge, on percevait des sanglots.

C'était Hortense Canelle, la marinière, à genoux près de Jean, qui lui parlait encore bien que, depuis plusieurs minutes, il eût cessé de vivre.

Son mari, sur le pont, guettait l'arrivée du

commissaire. Il sautilla vers lui, tout maigre, tout agité, murmura avec angoisse :

— Qu'est-ce que je dois faire?... Il est mort!... Ma femme...

Une image que Maigret ne devait pas oublier : dans l'écurie, vue d'en haut, encombrée par les deux chevaux, un corps presque roulé sur lui-même, avec la moitié de la tête enfouie dans la paille. Et les cheveux blonds de la Bruxelloise qui prenaient tout le soleil tandis qu'elle gémissait doucement, en répétant parfois :

— Mon petit Jean...

Tout comme si Jean eût été un enfant et non ce vieillard dur comme une pierre, à la carcasse de gorille, qui avait dérouté les médecins!

11

TRÉMATAGE

PERSONNE ne s'en aperçut, à part Maigret. Deux heures après la mort de Jean, tandis qu'on emportait le corps sur une civière vers une voiture qui attendait, le colonel avait demandé, les yeux striés de rouge, mais la démarche pleine de dignité :

— Vous pensez qu'on me donnera le permis d'inhumer?

— Dès demain...

Cinq minutes plus tard, Vladimir, avec sa précision habituelle de mouvements, larguait les amarres.

Deux bateaux attendaient devant l'écluse de Vitry-le-François, se dirigeant vers Dizy.

Le premier se poussait déjà à la perche vers le sas quand le yacht le frôla, contourna son avant arrondi et pénétra dans l'écluse ouverte.

Il y eut des protestations. Le marinier cria à l'éclusier que c'était son tour, qu'il ferait des réclamations, et cent autres choses.

Mais le colonel, en casquette blanche, en complet d'officier ne se retourna même pas.

Il était debout devant la roue de cuivre du gouvernail, impassible, regardant droit devant lui.

Quand les portes de l'écluse furent refermées, Vladimir descendit à terre, tendit ses papiers, le pourboire traditionnel.

— Parbleu! Les yachts ont tous les droits! grommela un charretier... Avec dix francs à chaque écluse...

Le bief, au-dessous de Vitry-le-François, était encombré. C'est à peine s'il paraissait possible de se faufiler à la gaffe entre les bateaux qui attendaient leur tour.

Et pourtant, les portes à peine ouvertes, l'eau bouillonna autour de l'hélice. Le colonel, d'un geste indifférent, embraya.

Et le *Southern Cross* prit d'un seul coup toute sa vitesse, frôla les lourds chalands, au milieu des cris, des protestations, mais n'en toucha pas un seul.

Deux minutes plus tard, il disparaissait au tournant et Maigret prononçait à l'adresse de Lucas qui l'avait accompagné :

— Ils sont tous les deux ivres morts!

Nul ne l'avait soupçonné. Le colonel était correct et digne, avec l'énorme écusson d'or au milieu de sa casquette.

Vladimir, en tricot rayé, le calot sur le

sommet du crâne, n'avait pas eu un faux mouvement.

Seulement, si le cou apoplectique de sir Lampson était violacé, son visage était d'une pâleur maladive, ses yeux soulignés de lourdes poches, ses lèvres sans couleur.

Quant au Russe, le moindre choc lui eût fait perdre l'équilibre, car il dormait debout.

A bord de *la Providence,* tout était clos, silencieux. Les deux chevaux, à cent mètres de la péniche, étaient attachés à un arbre.

Et les mariniers s'en étaient allés en ville, commander des vêtements de deuil.

FIN

TABLE DES MATIÈRES

OUVRAGES DE GEORGES SIMENON

AUX PRESSES DE LA CITÉ (suite)

« TRIO »

I. — La neige était sale – Le destin des Malou – Au bout du rouleau
II. — Trois chambres à Manhattan – Lettre à mon juge – Tante Jeanne
III. — Une vie comme neuve – Le temps d'Anaïs – La fuite de Monsieur Monde
IV. — Un nouveau dans la ville – Le passager clandestin – La fenêtre des Rouet
V. — Pedigree
VI. — Marie qui louche – Les fantômes du chapelier – Les 4 jours du pauvre homme
VII. — Les frères Rico – La jument perdue – Le fond de la bouteille
VIII. — L'enterrement de M. Bouvet – Le grand Bob – Antoine et Julie

★

AUX ÉDITIONS FAYARD

Monsieur Gallet, décédé
Le pendu de Saint-Pholien
Le charretier de la Providence
Le chien jaune
Pietr-le-Lettoon
La nuit du carrefour
Un crime en Hollande
Au rendez-vous des Terre-Neuvas
La tête d'un homme
La danseuse du gai moulin
Le relais d'Alsace
La guinguette à deux sous
L'ombre chinoise
Chez les Flamands
L'affaire Saint-fiacre
Maigret
Le fou de Bergerac
Le port des brumes
Le passager du « Polarlys »
Liberty Bar
Les 13 coupables
Les 13 énigmes
Les 13 mystères
Les fiançailles de M. Hire
Le coup de lune
La maison du canal
L'écluse nº 1
Les gens d'en face
L'âne rouge
Le haut mal
L'homme de Londres

A LA N.R.F.

Les Pitard
L'homme qui regardait passer les trains
Le bourgmestre de Furnes
Le petit docteur
Maigret revient
La vérité sur Bébé Donge
Les dossiers de l'Agence O
Le bateau d'Émile
Signé Picpus
Les nouvelles enquêtes de Maigret
Les sept minutes
Le cercle des Mahé
Le bilan Malétras

ÉDITION COLLECTIVE SOUS COUVERTURE VERTE

I. — La veuve Couderc – Les demoiselles de Concarneau – Le coup de vague – Le fils Cardinaud
II. — L'Outlaw – Cour d'assises – Il pleut, bergère... – Bergelon
III. — Les clients d'Avrenos – Quartier nègre – 45° à l'ombre
IV. — Le voyageur de la Toussaint – L'assassin – Malempin
V. — Long cours – L'évadé
VI. — Chez Krull – Le suspect Faubourg
VII. — L'aîné des Ferchaux – Les trois crimes de mes amis
VIII. — Le blanc à lunette – La maison des sept jeunes filles – Oncle Charles s'est enfermé
IX. — Ceux de la soif – Le cheval blanc – Les inconnus dans la maison
X. — Les noces de Poitiers – Le rapport du gendarme G. 7
XI. — Chemin sans issue – Les rescapés du « Télémaque » –Touristes de bananes
XII. — Les sœurs Lacroix – La mauvaise étoile – Les suicidés
XIII. — Le locataire – Monsieur La Souris – La Marie du Port
XIV. — Le testament Donadieu – Le châle de Marie Dudon – Le clan des Ostendais

SÉRIE POURPRE

Le voyageur de la Toussaint
La maison du canal
La Marie du port

Achevé d'imprimer le 19 février 1979
sur les presses de l'Imprimerie Bussière
à Saint-Amand (Cher)

— N° d'édit. 1113. — N° d'imp. 2221. —
Dépôt légal : 3e trimestre 1976.
Imprimé en France

-inutile de mettre la police dans le coup